WILMA TENDERFOOT
ET L'ÉNIGME DES CŒURS GELÉS

Pour Melanie et Susan
Merci

Comme toujours, je voudrais lancer un énorme merci
au visage de mon formidable agent, Camilla Hornby.
Cependant, je me dois également de lâcher de très haut
un merci tout particulier sur la tête de mon éditrice
Ruth Alltimes, une femme beaucoup, beaucoup trop
intelligente pour moi...
Une expérience formidable de bout en bout!

Publié en Grande-Bretagne, par Macmillan Children's Books (Londres)
sous le titre : *Wilma Tenderfoot and the Case of the Frozen Hearts*
© 2009 Emma Kennedy pour le texte

www.casterman.com

ISBN 978-2-203-07565-8
N° d'édition : L.10EJDN001267.N001

casterman

© 2012 Casterman, pour l'édition française, 2013 pour la présente édition
Achevé d'imprimer en août 2013, en Espagne
Dépôt légal : septembre 2013 ; D.2013/0053/424
Déposé au ministère de la Justice, Paris
(loi n° 49.956 du 16 juillet 1949 sur les publications destinées à la jeunesse).

L'ÉNIGME DES CŒURS GELÉS

Illustré par Nancy Peña
Traduit de l'anglais par Corinne Daniellot

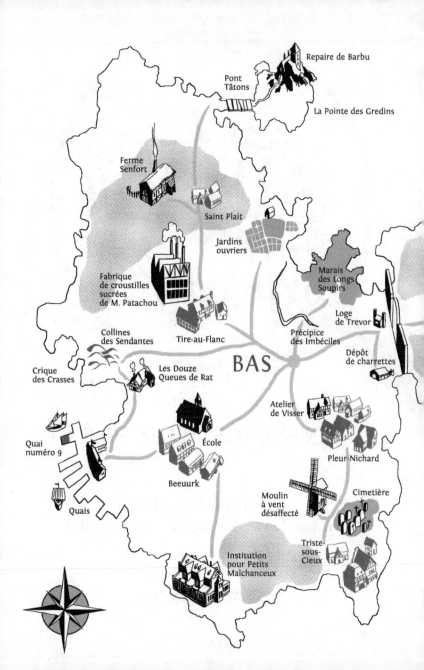

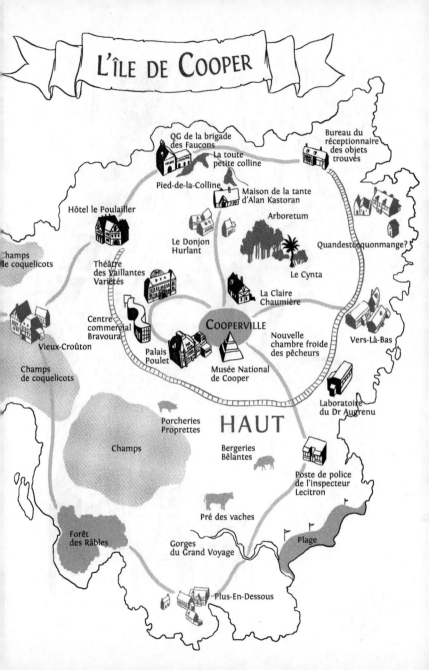

1. « Y sont partis »... mais où ? et qui ?

Wilma Tenderfoot n'aurait pas su expliquer exactement comment elle en était arrivée là, mais elle se trouvait la tête en bas dans le cellier, suspendue à un crochet à viande. Elle tenait à la main un rouleau de papier toilette en guise de télescope – moins efficace qu'un vrai, certes, mais c'était toujours mieux que rien. Alors qu'elle oscillait dans cette posture embarrassante, Wilma dut bien admettre que ses méthodes de détective n'étaient peut-être pas encore très au point. Elle nota dans un coin de sa tête qu'à l'avenir, elle devrait peut-être éviter d'escalader l'étagère à jambons pour enquêter sur un vol de saucisses. En tout cas, il vaudrait mieux prendre un minimum de précautions avant.

Son héros, Théodore P. Lebon, le plus grand détective de l'île, ne se serait jamais retrouvé dans cette situation délicate, pensa Wilma, mordant au passage dans un appétissant rôti de bœuf qui passait à sa portée. Ah ça, non! Lui, il n'aurait jamais glissé sur un morceau de bacon, il n'aurait pas fait de vol plané, et il ne se serait certainement pas retrouvé accroché par le postérieur.

Wilma se prit alors à rêver du jour où elle aussi deviendrait un grand détective et résoudrait toutes sortes d'énigmes et de mystères... Mais pour l'instant, il y avait plus urgent à régler : comment descendre de l'étagère sans se faire attraper par Mme Skratch ? C'était déjà assez pénible d'être orpheline en Bas de l'île de Cooper, surtout à l'Institution pour Petits Malchanceux. Il ne fallait pas qu'en plus la plus horrible directrice de la terre la surprenne à faire le cochon pendu au milieu des viandes froides.

Wilma entendit Mme Skratch aboyer des ordres de l'autre côté de la porte ; il n'y avait plus une minute à perdre. Vite, elle déboutonna la poche de son tablier et en sortit une liasse de bouts de papier, reliés par le coin à un gros anneau de métal. Elle feuilleta fébrilement son carnet de fortune jusqu'à la page qui l'intéressait : une vieille coupure de journal pliée en quatre sur laquelle étaient gribouillés les mots : « Théodore P. Lebon et l'horloge géante ».

Wilma s'empressa de déplier la feuille et examina le dessin représentant son détective préféré accroché à l'extrémité d'un immense balancier.

— Voilà la solution ! murmura-t-elle en tapotant l'image du doigt. Il s'est balancé jusqu'à pouvoir atteindre le rebord et s'échapper ! Si j'arrive à faire pareil avec mon crochet, je pourrai peut-être attraper cette boîte de pêches au sirop, puis me servir du jus pour graisser le crochet et ensuite…

Mais avant que Wilma n'eût achevé son brillant raisonnement, le destin lui joua un vilain tour. Le tissu de son tablier céda dans un craquement sinistre, et elle tomba tête la première dans un immense panier d'échalotes. La porte du cellier s'ouvrit alors à toute volée.

— Wilma Tenderfoot ! hurla Mme Skratch, une femme à l'odeur de chou bouilli qui ressemblait à un vautour. Dans mon bureau ! Immédiatement !

Wilma leva la tête et recracha une échalote. Elle venait encore de s'attirer des ennuis.

Quelque part entre l'Angleterre et la France se trouve une île avec juste une toute petite colline, une île que personne n'a jamais pris la peine d'explorer. Allez donc consulter une carte et vous la verrez – par là, un peu plus haut. Il n'y a rien de surprenant à ce que l'île de Cooper, somme toute banale et insignifiante, n'ait jamais été découverte. Après tout, plus personne n'enseigne l'exploration à l'école. De plus, la curiosité est loin d'être encouragée depuis qu'on a appris que c'était un vilain défaut. Mais chacun sait que sans curiosité, il n'y a pas d'aventure.

Cependant, il y a des siècles, l'île fut presque découverte par un explorateur du nom de Marco Polo. Vous avez peut-être déjà entendu parler de lui. Il avait une barbe et il a découvert des choses très impressionnantes, comme la Chine ou les services postaux prioritaires. Alors, forcément, dénicher une île avec une toute petite colline quelque part entre l'Angleterre et la France, ça n'avait rien de très palpitant pour lui.

Ce mardi-là, Marco Polo était en plein travail :

— Seize ans que je découvre, sans jamais m'arrêter ! s'exclama-t-il, debout à la poupe du navire. Seize ans, et jamais je n'ai pris ne serait-ce qu'un jour de congé. Pas un.

À ce moment-là, Angelo Pizza, un petit homme dont la fille inventerait un jour le plat du même nom, appela du haut de son nid-de-pie :

— Ohé, du bateau ! J'aperçois une île avec juste une toute petite colline !

En l'entendant, Marco Polo soupira. On n'a pas une minute de répit quand on doit découvrir de nouveaux mondes et révolutionner la poste. Si vous connaissez des adultes, vous les avez probablement déjà entendus se plaindre de leur travail. Eh bien, Marco Polo était tout comme eux. Ce jour-là, il n'avait pas envie d'aller au travail. Il avait envie de s'allonger dans un hamac avec une pomme fraîche, et peut-être même de se déguiser en tigre.

— Qu'on ne me dérange pas ! s'écria-t-il. Sois gentil et fais comme si tu n'avais rien vu.

— Compris ! hurla Angelo Pizza.

Et il se remit à scruter l'horizon, tout en faisant bien

attention à ne plus scruter en direction de l'île avec la toute petite colline.

Il peut sembler étrange que depuis ce jour-là, personne d'autre n'ait découvert l'île de Cooper. Mais la plupart des explorateurs s'intéressent surtout à des choses impressionnantes, comme la montagne la plus haute ou la rivière la plus longue. Alors, comme Cooper n'avait rien qui fût plus haut, plus long ou plus profond, elle fut bien vite oubliée et ceux qui y vivaient restèrent livrés à eux-mêmes. Si vous vous imaginez qu'une terre isolée du reste du monde est un havre de paix et de bonheur, vous avez tort. Même sur une île banale et insignifiante, on trouve quantité de crimes et de complots, et dans les pages qui suivent, vous allez découvrir l'un de ces mystères. Mais attention, c'est une énigme si terrifiante que si vous êtes de constitution fragile, je ne peux que vous conseiller de reposer immédiatement ce livre…

Wilma faisait ses bagages depuis cinq minutes sur ordre de Mme Skratch. Après l'avoir traînée hors du cellier par l'oreille et lui avoir hurlé dessus pendant trente-sept minutes, la directrice furibonde avait fini par extirper de sa poche une lettre toute froissée.

Elle l'avait ensuite agitée sous le nez de Wilma.

— C'en est assez ! s'était-elle écriée dans une pluie de postillons. C'est la dernière fois que je supporte tes âneries et tes absurdités ! C'est décidé, tu t'en vas aujourd'hui !

Wilma avait été surprise mais ravie. Cependant, elle ne tarda pas à déchanter. La lettre provenait en effet d'une petite vieille ratatinée, du nom de Mme Ronchard, qui demandait qu'on lui envoie « une domestique, ni trop affamée, ni trop difficile ». La malheureuse partirait vivre en Haut de l'île. Là, elle se chargerait de corvées telles que gratter la corne sous les pieds de Mme Ronchard ou descendre dans les canalisations afin de les déboucher.

Non seulement ce serait le tout premier travail de Wilma, mais ce serait surtout la première fois en dix ans qu'elle quitterait l'enceinte de l'institution. Elle n'en était jamais sortie, à part pour se rendre aux leçons obligatoires du mardi après-midi. Wilma et ses camarades y apprenaient à lire, à écrire, et bien sûr à maîtriser les techniques indispensables à leur avenir, comme le grattage ou le récurage.

Wilma était la plus petite et la plus maigre parmi les pensionnaires âgées de dix ans. Elle ignorait tout de ses origines, si ce n'est qu'elle avait été déposée aux portes de l'institution pour Petits Malchanceux lors d'un orage si violent qu'il avait fendu en deux l'unique arbre de la cour. On l'avait emmitouflée dans un tissu de mousseline et abandonnée là, dans une boîte en carton défraîchie. Seul indice, une petite étiquette à bagage accrochée à son poignet, portant ces trois mots : « Y sont partis. » Elle ignorait qui avait bien pu la laisser là et à qui l'étiquette faisait allusion. C'était un mystère aussi profond que l'océan. Pourtant, avait-elle décidé, un jour elle le résoudrait. C'est vrai, elle était toute petite, mais elle était aussi très, très déterminée.

*

Durant ses dix années à l'Institution pour Petits Malchanceux, Wilma ne s'était guère liée avec d'autres enfants. À quatre ans, elle avait bien eu une meilleure amie, mais cela s'était fort mal terminé : la malheureuse était tombée dans un fourneau, à l'usine. On l'avait fait fondre par accident, et elle était ressortie sous la forme d'une panoplie de clés anglaises. Wilma s'était vite rendu compte que pour se protéger d'un environnement aussi cruel, il valait mieux ne s'attacher à personne. Elle se consolait avec les livres qu'elle chapardait dans la modeste bibliothèque de l'orphelinat, et les magazines dérobés dans la corbeille à papier de Mme Skratch. Les revues lui contaient la vie des gens du Haut de l'île, et surtout les aventures et les triomphes de Théodore P. Lebon, le plus grand détective de Cooper. Petite, c'étaient les illustrations de ses grandioses enquêtes qui la captivaient. Mais dès qu'elle avait été en âge de lire et de comprendre ses méthodes et ses conseils, Wilma s'était découvert une véritable passion pour Lebon. Ce n'était pas simplement le meilleur détective de l'île, c'était aussi l'homme le plus droit et le plus respectable qu'elle puisse imaginer. Ses nobles actions éblouissaient Wilma et lui faisaient oublier les corvées quotidiennes. Comme elle aurait aimé être détective, elle aussi !

Chaque mercredi, à quatre heures précises, Mme Skratch s'enfermait dans la tourelle pour manger du gâteau, et les orphelins pouvaient jouer au Lantha (un des jeux de société préférés des Coopériens). Wilma s'éclipsait alors discrètement jusqu'au bureau de la directrice et y subtilisait le dernier numéro de *Boum !*, un magazine destiné aux femmes d'un certain âge. Très soigneusement, elle déchirait les pages où les affaires résolues par le détective Lebon étaient racontées dans leurs moindres détails. Elle les lisait et les relisait jusqu'à pouvoir pratiquement les réciter de mémoire, et elle en profitait pour assimiler les ficelles du métier. Un jour, elle en était sûre, elle parviendrait ainsi à déchiffrer les mystères de son propre passé. Wilma avait bien compris que si elle voulait devenir détective, il lui fallait commencer à s'entraîner dès son plus jeune âge. Et c'est pourquoi elle saisissait chaque opportunité qui se présentait à elle.

Un jour, alors que Wilma avait six ans, une horrible tourte aux rognons disparut de la cuisine de l'orphelinat.

Mme Skratch exigea qu'on retrouve le coupable, et Wilma sauta alors sur l'occasion de s'essayer pour la première fois au métier d'enquêteur. Elle conclut rapidement que le voleur de tourte ne pouvait être que Thomas, un jeune garçon bizarre. D'ailleurs, sa lèvre supérieure tremblante était recouverte de pâte feuilletée : sa culpabilité ne faisait aucun doute. Mais il s'avéra que Thomas n'avait pas touché une miette de pâte feuilletée et qu'il souffrait en réalité d'une violente crise d'eczéma. Avec un sourire méprisant, Mme Skratch fit remarquer cette erreur de taille à Wilma. Celle-ci se rendit alors compte que tirer des conclusions hâtives pouvait mener à de cuisants échecs. L'art de l'investigation se révélait bien plus subtil qu'elle ne l'aurait cru.

Elle ne se laissa toutefois pas décourager par ce premier écueil et, à l'âge de sept ans, résolut de s'attaquer à un autre mystère déconcertant : la disparition des chaussettes de l'orphelinat – mais pas des paires, non, juste les chaussettes gauches. Wilma déduisit rapidement que le seul suspect valable était sans aucun doute Mélodie Tremble, une fillette unijambiste. Mais une nouvelle fois, il s'avéra que ce raisonnement était un peu bancal. En effet, comme le fit remarquer une Mme Skratch très agacée, Mélodie Tremble ne pouvait être la coupable : son seul pied était un pied droit, et non un gauche ! Et pour ne rien arranger, le voleur avait déjà été arrêté : il s'agissait d'un marionnettiste qui fabriquait des personnages avec des chaussettes, et qui s'était décidé à équiper sa main gauche. Affaire classée. Pour notre détective en herbe, c'était une nouvelle déconfiture qui n'aida pas à la rendre populaire auprès de ses camarades. Malgré tout, la détermination de Wilma ne faiblissait pas.

Enfin, à l'âge de neuf ans, Wilma se mit en tête de découvrir une fois pour toutes pourquoi, de tous les enfants de l'orphelinat, elle était la seule à n'avoir jamais été envoyée dans un nouveau foyer. La règle voulait que chaque pensionnaire soit expédié en Haut de l'île dès l'âge de huit ans, pourtant Wilma restait là. Aussi décida-t-elle de mener sa petite enquête. Hélas, n'ayant pas encore achevé son apprentissage, elle manquait un peu de technique. Elle en manquait tellement, d'ailleurs, qu'elle se contenta de s'agripper à la manche de Mme Skratch et de lui demander :

— Et moi, pourquoi je suis toujours là ?

Pour toute réponse, Mme Skratch lui pinça vivement l'oreille et lui fit éplucher une montagne d'oignons, et Wilma ne fut pas plus avancée. Le mystère restait entier !

Et voilà qu'enfin, on l'envoyait explorer le vaste monde de l'île ! Elle pourrait peut-être même y trouver l'occasion de jouer les détectives… Rien que d'y penser, Wilma se sentit plus excitée qu'un troupeau de puces. Mais tout cela devrait attendre : pour l'instant, elle n'était encore qu'une pensionnaire de l'Institution pour Petits Malchanceux qui s'apprêtait à rencontrer une vieille rombière aux pieds tout craquelés.

Avant qu'elle ne quitte l'orphelinat, la directrice avait fourni à Wilma les papiers nécessaires pour passer la frontière qui séparait le Bas du Haut de l'île. La fillette avait reçu l'autorisation de prendre un bain froid. Puis on lui avait donné un tablier et un chemisier neufs, afin de ne pas offenser le regard des passants qui auraient eu la malchance de la remarquer.

— Les gens du Bas ne sont pas les bienvenus en Haut de l'île, ne l'oublie pas ! lui avait répété Mme Skratch en agitant vers elle un doigt osseux.

Wilma ne risquait pas de l'oublier : les habitants du Bas avaient conscience que la plupart de ceux du Haut les méprisaient profondément. Personne ne savait pourquoi ; c'était comme ça, point.

Anxieux à l'idée de quitter le seul foyer qu'ils aient jamais connu, d'autres enfants auraient sûrement eu les jambes en coton, mais pas Wilma. Combien d'heures avait-elle passées, la tête entre les barreaux du portail de l'orphelinat, à se demander à quoi pouvait bien ressembler le reste de l'île ! Elle rêvait de voir un jour de ses propres yeux tous les endroits dont parlaient les magazines de Mme Skratch.

À l'âge de quatre ans, on l'avait attachée au bout d'une corde et descendue au fond du puits afin qu'elle ramasse des grenouilles pour le dîner. Pour se donner du courage, elle s'était alors mise à songer aux fameux alignements de canarbres à sucre le long de l'avenue des Coopériens.

À cinq ans, on lui avait ordonné de sculpter une figurine de Mme Skratch dans de la graisse de poulet. Elle rêva alors si fort au superbe palais Poulet du Haut qu'elle avait par inadvertance affublé la directrice de trois yeux et d'un nez tordu. Enfin, à l'âge de six ans trois quarts, on l'avait poussée sans ménagement sur un balai dans la cheminée pour y déloger les chauves-souris. Son esprit s'en était alors allé vagabonder vers le théâtre des Vaillantes Variétés et ses spectacles extravagants. Mais par-dessus tout, Wilma rêvait de Théodore P. Lebon et du jour où, si elle restait assez déterminée, il l'aiderait à découvrir le secret de ses origines. Bref, vous l'aurez compris, Wilma était plus qu'impatiente de partir.

Wilma ne possédait presque rien, et il ne lui fallut que quelques instants pour se tenir fin prête, son chapeau de paille à la main.

— Tenderfoot! aboya Mme Skratch depuis l'entrée du dortoir. Tu as fini de préparer tes affaires?

— Oui, madame Skratch, répondit Wilma, les yeux brillants.

— Presse-toi, il est hors de question que tu fasses attendre Mme Ronchard. Approche-toi donc, que je t'examine.

Wilma trottina jusqu'à la porte et se redressa, parée pour l'inspection. Mme Skratch la toisa de toute sa hauteur, détaillant minutieusement sa pensionnaire maigrichonne.

— Tss tss, tu n'as vraiment l'air de rien, commenta-t-elle en relevant le menton de Wilma d'un doigt sévère. Tu as les yeux trop verts, le nez trop petit, les cheveux trop clairs et une bouche qui n'est bonne qu'à débiter des carabistouilles. Il n'y a pas grand-chose qui plaide en ta faveur. Si tu veux mener un jour une existence passable, Wilma Tenderfoot, tu vas devoir apprendre à obéir aux ordres. Mais gare à toi si tu n'en fais qu'à ta tête, car ta misérable vie sera alors jalonnée d'embûches ! C'est compris ?

— Oui, madame Skratch, ânonna Wilma tout en replaçant une mèche rebelle derrière son oreille.

— Et cesse de gesticuler ! ajouta sèchement la directrice, les lèvres pincées. C'est insupportable, un enfant qui gigote, on dirait un ver de terre ! Ramasse donc tes affaires et descends dans la cour. La charrette t'emmènera chez Mme Ronchard. Et prends ceci.

Elle lui confia une lettre d'instructions à l'attention de son nouvel employeur. Wilma courut vers le lit où elle avait dormi chaque nuit, ces dix dernières années, pour prendre son tout petit baluchon de vêtements. Tournant soigneusement le dos à Mme Skratch, elle mit la main sous son matelas pour y récupérer furtivement ses deux biens les plus précieux : l'étiquette à bagage qui lui revenait de droit, et un morceau de papier plié en quatre, si usé qu'il en était presque effacé. Wilma noua rapidement l'étiquette à son poignet et enfouit le papier dans son baluchon. Il s'agissait d'une liste de trucs et astuces du détective Théodore P. Lebon. Bien sûr, elle n'en avait pas vraiment besoin, puisqu'elle les connaissait déjà par cœur. Tandis qu'elle se dirigeait vers la porte, elle se les récita à voix basse.

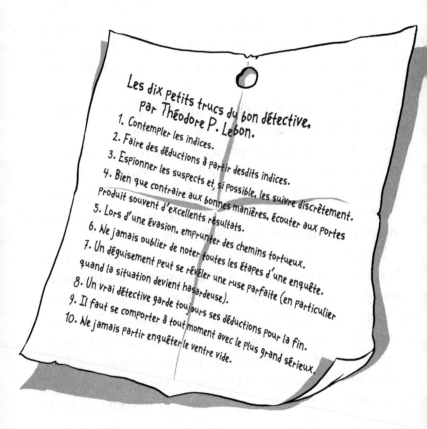

Les dix petits trucs du bon détective,
par Théodore P. Lebon.

1. Contempler les indices.
2. Faire des déductions à partir desdits indices.
3. Espionner les suspects et, si possible, les suivre discrètement.
4. Bien que contraire aux bonnes manières, écouter aux portes produit souvent d'excellents résultats.
5. Lors d'une évasion, emprunter des chemins tortueux.
6. Ne jamais oublier de noter toutes les étapes d'une enquête.
7. Un déguisement peut se révéler une ruse parfaite (en particulier quand la situation devient hasardeuse).
8. Un vrai détective garde toujours ses déductions pour la fin.
9. Il faut se comporter à tout moment avec le plus grand sérieux.
10. Ne jamais partir enquêter le ventre vide.

Wilma laissa échapper un soupir résolu. Elle n'était pas sûre de bien comprendre chaque mot, mais qu'importe, un jour, elle aussi deviendrait un vrai grand détective, et rien ni personne ne pourrait l'en empêcher. Elle jeta un dernier regard vers le dortoir, puis tourna les talons et s'élança vers le prochain chapitre de sa vie.

2. Une attente excessivement longue et parfaitement inutile

'il y a bien une chose que les grandes personnes adorent, c'est d'avoir quelqu'un à critiquer. Les habitants du Haut de Cooper ne faisaient pas exception, et ils étaient on ne peut plus ravis d'avoir ceux du Bas de l'île à disposition pour cela. Tant qu'ils s'acharnaient sur leurs voisins, ils n'avaient pas à se pencher sur leurs propres défauts.

Wilma ne s'était encore jamais rendue en Haut de l'île, et quand sa charrette s'arrêta au poste frontière, elle se sentit tout excitée — mais aussi un peu effrayée.

— Papiers, marmonna un gros bonhomme à l'air paresseux, assis sur une chaise devant le bâtiment.

Le poste frontière était composé d'une loge flanquée de deux tours. Juste derrière, un mur gigantesque doté d'une immense porte s'étendait aussi loin que portait le regard pour séparer le Haut et le Bas de l'île. Là, tout semblait gris et déprimant mais, par l'entrebâillement de la porte, Wilma pouvait déjà apercevoir des champs pleins de coquelicots et, au-delà, la toute petite colline de l'île avec les sommets des plus beaux édifices de Cooperville. La fillette se sentit transportée de joie.

Tandis qu'elle s'émerveillait de tout cela, elle eut aussi la curieuse impression d'être observée depuis la loge, mais elle ne put voir personne. D'un bond, elle descendit de la charrette pour remettre l'enveloppe de l'orphelinat au garde qui portait un badge à son nom : Trevor.

— Permis de travail en ordre, grommela Trevor. Tiens-toi sur la croix rouge.

Wilma baissa les yeux et découvrit une grosse croix rouge tracée sur le sol. Elle se positionna dessus et à ce moment-là, elle entendit un crissement. Étonnée, elle leva les yeux et vit qu'un rideau métallique s'était ouvert dans la loge. Elle aperçut alors derrière quatre paires d'yeux qui l'épiaient. Un peu désarçonnée, Wilma agita la main. À ce petit geste amical, une des paires d'yeux cligna très fort et jeta un rapide regard de côté. Le rideau se referma brusquement. S'ensuivirent des murmures furieux que Wilma ne parvint pas à démêler. Une autre ouverture apparut dans le mur près de Trevor, et un bras en surgit pour lui tendre un mot. « Quel étrange endroit ! » pensa Wilma.

— Pas de gestes, lut Trevor. Les gestes sont interdits sur la croix.

Mais Wilma ne l'écoutait pas.

— J'ai une question, commença-t-elle en observant Trevor. Je ne comprends pas pourquoi une personne ne peut pas passer d'un endroit à un autre quand elle en a envie. Pourquoi faut-il avoir des papiers ?

Trevor s'enfonça dans son siège, l'air un peu paniqué. Un autre mot surgit précipitamment. Trevor toussota et le lut nerveusement, puis se tourna de nouveau vers la fillette.

— Eh bien, parce que, ici, c'est le Haut. Et toi, tu viens du Bas. Voilà pourquoi.

— Mm, fit Wilma tout en réfléchissant. Mais la seule différence entre les deux, c'est qu'il y en a un qui est ici tandis que l'autre est là-bas. Moi, je trouve que ce serait plus simple si les gens allaient où ils voulaient, quand ils en ont envie.

— Non, non, non ! bredouilla Trevor. Il ne faut jamais laisser les gens aller où ils le veulent. C'est tout à fait inadmissible. Aller où ils le veulent, et puis quoi encore ? Ici c'est ici, et là-bas, c'est là-bas. Voilà tout.

Un autre morceau de papier jaillit, et le bras qui le tendait l'agita furieusement. Trevor s'en saisit et annonça à Wilma :

— Permission d'entrer en Haut accordée, mais tu vas recevoir un Avis d'Impertinence.

Wilma ne fit pas de commentaire. Après tout, elle ne savait pas ce qu'était un Avis d'Impertinence.

— Des gestes ET des questions, marmonna Trevor en mettant un coup de tampon sur un document administratif. Et moi qui croyais avoir tout vu.

Trevor tendit à Wilma son enveloppe de papiers ainsi que l'Avis d'Impertinence. Ce document avait l'air très officiel, mais on l'avait écrit à la main en tout petit, ce qui le rendait difficile à déchiffrer. Wilma le rapprocha de son visage et plissa les yeux.

AVIS D'IMPERTINENCE

DÉLIVRÉ PAR LE GRAND CONSEIL DU CONTRÔLE DES FRONTIÈRES

Vous avez suggéré qu'ici et là-bas, c'est la même chose (alors que non, pas du tout) et vous avez excessivement gesticulé au cours d'un interrogatoire officiel (et puis aussi vous nous avez embêtés). Nous vous délivrons donc par la présente un avis vous interdisant de vous livrer à ce genre d'excentricités dorénavant, à partir de maintenant, tout de suite, et cetera et point final.

Signé : Kévin et Malcolm et Susan et Yann
(Regardeurs officiels du contrôle des frontières)

Wilma releva la tête et rangea l'avis dans la poche de son tablier.

— Très bien, dit-elle. Eh bien, d'accord. Je peux y aller maintenant ?

— Non. Maintenant, tu dois patienter pendant une durée qui devra être excessivement longue et parfaitement inutile. C'est marqué sur le panneau.

Trevor lui indiqua une affiche. Wilma se retourna et vit en effet derrière elle une liste de la procédure du contrôle des frontières. Le numéro quatre disait ceci : « Les habitants du Bas devront se soumettre à une attente longue et inutile jusqu'à ce que le contrôle des frontières estime que cette attente a été suffisamment longue et suffisamment inutile. »

Wilma secoua la tête. Cet endroit était complètement fou. Cependant, elle ne voulait pas risquer de recevoir un autre avis d'impertinence, alors elle retourna s'asseoir à l'arrière de sa charrette pour attendre patiemment la suite des événements.

Deux heures et trente-trois minutes plus tard, Trevor jugea enfin que l'attente de Wilma avait été suffisamment longue et suffisamment inutile.

— Vous pouvez y aller, maintenant, dit-il avec un signe de tête autoritaire.

Wilma avait très, très envie de lui répondre par un geste grossier. Elle aurait pu par exemple lui tirer la langue. Mais elle semblait avoir déjà récolté bien assez de problèmes comme ça, aussi, lorsque la charrette repartit, Wilma ne dit rien à Trevor. En revanche, elle lui fit une horrible grimace dans sa tête.

La première fois que Wilma pénétra en Haut de l'île, elle fut éblouie par ce qu'elle vit. La charrette passa les portes du poste frontière et gravit une crête recouverte de coquelicots. Au sommet, Wilma put profiter d'un paysage magnifique : au sud, des étendues de champs vallonnées, bordées par une forêt luxuriante ; au nord, la toute petite colline avec, niché à sa base, le village de Pied-de-la-Colline ; et enfin, devant elle, Cooperville ! La capitale de l'île était si belle et si scintillante que Wilma ne put que rester bouche bée, bringuebalant dans sa charrette au rythme des nids-de-poule et des dos-d'âne.

Wilma n'avait jamais connu que les mornes environs de l'orphelinat, ses murs austères, ses jardins poussiéreux... mais ici, tout était si vivant ! Les habitants portaient des costumes verts ou violets ; des bouquets de fleurs accrochés aux portes embaumaient la ville entière ; et les vitrines des magasins regorgeaient de nourriture et de friandises.

Mais Wilma ne devait pas se laisser berner par cette jolie façade. Derrière cette vie agréable, il y avait l'envers redoutable du décor : la foule de domestiques venus du Bas, dont la mission était de briquer le Haut de l'île pour le seul bonheur de leurs employeurs. Wilma n'était pas destinée à une vie de rires et de joies : elle était à la merci de sa nouvelle maîtresse. La charrette s'arrêta dans une secousse.

— Voilà le Donjon Hurlant, tu es arrivée, marmonna le cocher par-dessus son épaule.

Dès que Wilma fut descendue, la charrette repartit péniblement, la laissant devant le portail. Wilma contempla sa nouvelle demeure, le cœur lourd. Mme Ronchard habitait une imposante tour de bois au toit un peu de travers, comme un vieux chapeau de sorcier ratatiné. Les fenêtres étaient sales, noires de poussière et de moisissure, et les marches du perron étaient envahies de ronces et de mauvaises herbes. C'était encore pire que l'orphelinat. Oh, et puis après tout, elle saurait bien s'en contenter. Elle remonta ses manches et décida que ce Donjon Hurlant avait probablement juste besoin d'un bon coup de chiffon.

Sa lettre d'introduction à la main, Wilma fit ses premiers pas vers la maison. La porte s'ouvrit à la volée : à contre-jour, auréolée par une faible lumière, se tenait une femme joufflue comme un crapaud. Le coin de ses lèvres était constellé de salive et ses petits yeux disparaissaient derrière de grosses paupières. C'était Mme Ronchard, la nouvelle maîtresse de Wilma. Elle se mit à brailler, et sa voix évoqua des éponges jetées dans un seau d'eau :

— C'est toi, la domestique ?

— Oui, madame, c'est moi, dit Wilma en prenant soin de faire une petite révérence.

— Tu n'as pas l'air bien résistante, aboya son employeur, qui la jaugea d'un coup d'œil. Faiblarde, hein ? Tu sais porter des paquets ? Raccommoder les vêtements ? Sauter par-dessus un portail à l'aide d'une seule main ?

Wilma hésita un instant.

— Je n'en suis pas sûre, commença-t-elle, les sourcils froncés. Mais je sais toucher mon nez avec ma langue, comme ça.

Mme Ronchard regarda Wilma se lécher le bout du nez et dut bien admettre que c'était impressionnant.

— Eh bien, entre, alors, maugréa-t-elle, le ventre tremblotant comme de la gelée tandis qu'elle lui faisait signe d'avancer. Descends tes affaires à la cave. Cette porte-là, puis sur ta gauche. Ce sera ta chambre. Pose tes affaires en bas et remonte au petit salon, tu vas aller me faire une commission.

— J'ai une lettre d'introduction, lui annonça Wilma. C'est Mme Skratch, de l'orphelinat, qui m'a dit de vous la donner.

Mme Ronchard pourlécha ses lèvres pleines de postillons, saisit la lettre et la déplia pour la lire à haute voix :

Chère Barbara,

L'enfant qui vous a remis cette lettre s'appelle Wilma Tenderfoot. Elle a dix ans. Elle est dotée d'un caractère raisonnable mais a tendance à rêvasser et à parler dans sa barbe. Si vous la surprenez les yeux dans le vague, criez son nom une fois, bien fort, et cela devrait suffire. N'hésitez pas à la battre. Vous avez probablement votre méthode de correction favorite, mais d'après mon expérience, quelques bons coups de martinet Anti-Garnements (brochure ci-jointe) donnent toujours d'excellents résultats. Pour ce qui est de la nourriture, un repas par jour suffira largement, et elle se contentera sans aucun souci de miettes ou de restes.

Comme vous le savez, nous vous proposons un essai de trente jours à nos frais. À l'issue de cette période d'essai, si Wilma vous convient (et le contraire nous étonnerait), nous vous enverrons alors une facture pour finaliser la transaction. Si toutefois Wilma ne correspondait pas à vos attentes, vous pourrez nous la renvoyer dans une boîte en carton et nous serons ravis de la remplacer au plus vite. Si d'aventure Wilma était tuée ou sévèrement mutilée lors de cette période d'essai, nous vous demanderions alors de nous régler en totalité la somme due. Ceci uniquement afin de couvrir nos propres frais, comme je suis sûre que vous le comprendrez.

Il ne me reste plus qu'à vous remercier d'avoir choisi l'Institution pour Petits Malchanceux. Nous espérons que vous serez satisfaite de votre achat.

Votre dévouée,

Deborah Skratch

Mme Ronchard jeta la lettre sur le buffet.

— Sache qu'il est hors de question que je paie quoi que ce soit si tu te fais tuer ou mutiler. Alors tu as intérêt à te débrouiller pour que ça n'arrive pas !

— Promis, madame Ronchard, répondit Wilma.

Elle n'eut même pas à croiser les doigts : il faut dire que cette promesse-là ne serait pas bien difficile à tenir.

3. Une lueur d'espoir pleine de puces

L'intérieur du Donjon Hurlant n'était guère plus accueillant que l'extérieur. Dans les coins, on distinguait des meubles imposants, tandis que l'humidité et la moisissure s'étendaient sur les murs à vue d'œil. Une lumière vacillante tentait désespérément de percer les ténèbres de son faible faisceau, mais autant vouloir perforer du béton à l'aide d'un spaghetti. Wilma grimaça. Cet endroit était atroce.

La cave, qui tiendrait dorénavant lieu de chambre à Wilma, était infestée de toiles d'araignée et sentait la serpillière mouillée. Wilma soupira et posa son balluchon sur un petit matelas jeté à même le sol. Voilà donc à quoi ressemblerait désormais sa vie. Il faut bien vous avouer que, l'espace d'un instant, Wilma se sentit très découragée. Cependant, n'oublions pas que même si elle n'était pas bien grande, elle avait une détermination à toute épreuve, et elle décida de tirer le meilleur parti possible de sa situation. La fillette essaya de discerner ce qui l'entourait dans cette cave froide et humide. Elle décréta qu'en dépoussiérant par-ci et en rangeant un peu par-là, ce ne serait pas si mal, en fin de compte.

C'est alors qu'elle perçut un petit reniflement provenant d'un coin de la pièce. Wilma se raidit. Il est vrai qu'en règle générale, dans une cave lugubre et humide, la dernière chose que l'on souhaite entendre est un bruit inattendu provenant d'on ne sait où. Mais Wilma se dit que la pire de toutes les pires possibilités serait qu'il s'agisse d'un crocodile en liberté, et conclut que cette possibilité était certainement impossible. Elle rassembla alors les derniers lambeaux de son courage et s'en alla explorer les profondeurs du trou d'où avait surgi le bruit. Voilà que le couinement recommençait ! Wilma se baissa et tendit la main. Elle eut la surprise de rencontrer quelque chose d'un peu tiède et mouillé. Soudain, deux grands yeux marron apparurent. Étonnée, Wilma eut d'abord un mouvement de recul, puis, estimant qu'elle n'était pas en danger immédiat d'être dévorée toute crue, elle se pencha de nouveau.

— Allez, dit-elle doucement, viens. Je ne te ferai pas de mal.

Wilma vit alors émerger un chien très sale et en piteux état. Il était tout petit avec des oreilles tombantes, et l'une d'elles était toute froissée et abîmée. Ses grands yeux tristes et ses babines pendantes lui donnaient un air mélancolique. Il s'avança, la queue entre les jambes et la tête baissée. Il était si misérable que Wilma eut toutes les peines du monde à ne pas pleurer. Vite, elle ouvrit son balluchon et en sortit les restes d'un bout de jambon qu'on lui avait donné pour le voyage. Le beagle, car c'en était un, renifla la nourriture, agita un peu la queue et se rapprocha pour la croquer à belles dents. Son regard rencontra celui de Wilma, et pour la première fois depuis ses quatre ans, la fillette sut qu'elle venait de rencontrer quelqu'un qui avait au moins autant qu'elle besoin d'un ami.

— Comment t'appelles-tu ? demanda-t-elle en s'agenouillant pour le caresser.

Un petit disque terni était accroché au collier du beagle. Wilma le prit entre deux doigts pour le lire.

— Pétrin ! annonça-t-elle en souriant. Tu t'appelles Pétrin.

Pétrin remua la queue encore plus fort. Il est parfois dur de savoir avec précision à quel moment naît une amitié de toute une vie. Mais il ne faisait aucun doute qu'assis côte à côte sur ce matelas crasseux au milieu de cette cave froide et humide, Wilma et Pétrin étaient déjà devenus les meilleurs amis du monde.

La commission que Wilma devait effectuer pour Mme Ronchard était des plus simples.

— Je veux deux petits pains de chez M. Patachou, le pâtissier. Un au sucre et un aux raisins, exigea la maîtresse de Wilma en bavant un peu.

Après avoir lavé et brossé Pétrin en cachette dans le jardin envahi d'herbes folles, Wilma quitta le Donjon Hurlant d'un pas joyeux, le chien sur ses talons. De toute évidence, Pétrin n'avait jamais été aussi propre depuis son arrivée, deux ans auparavant, au poste de chien de garde de Mme Ronchard — un poste qu'il ne semblait pas avoir pris très au sérieux. D'ailleurs, quand Wilma était remontée de la cave suivie de Pétrin, Mme Ronchard avait semblé légèrement étonnée que celui-ci soit toujours vivant. Sur l'insistance de Wilma, qui lui assura qu'il ferait un assistant domestique très utile, Mme Ronchard accepta de le garder. Quand Wilma eut fini de le débarbouiller, elle fut agréablement surprise : à la place du chien grisâtre et un peu piteux qu'elle avait trouvé se tenait un joli beagle brun doré et noir luisant, avec les pattes et le bout de la queue blancs, qui haletait de bonheur.

— Si j'osais, Pétrin, commenta Wilma alors qu'ils se dirigeaient vers la pâtisserie, je dirais que tu es un chien tout à fait adorable !

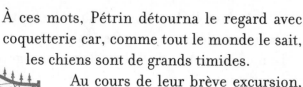

À ces mots, Pétrin détourna le regard avec coquetterie car, comme tout le monde le sait, les chiens sont de grands timides.

Au cours de leur brève excursion, deux incidents particulièrement significatifs se produisirent. Tout d'abord, alors que Wilma passait en courant le portail de Mme Ronchard, elle bouscula un petit homme qui tenait à la main un casque équipé d'une lampe.

— Je suis désolée, monsieur, s'excusa Wilma avant de repartir au trot.

Cet homme s'appelait Alan Kastoran et il s'en allait faire de la plongée souterraine, mais nous en saurons plus dans une minute.

Le second incident se produisit lors du retour de Wilma. Alors qu'elle courait avec Pétrin vers le Donjon Hurlant, elle passa près de la maison de son voisin, freina brusquement et resta plantée là, bouche bée. Devant le portail se tenait un homme qui fumait la pipe, les mains dans les poches. Rien d'étrange à cela, me direz-vous, sauf que Wilma connaissait bien cet homme, elle le connaissait même très bien.

— Théodore P. Lebon, murmura-t-elle tandis qu'il tournait les talons pour rentrer chez lui.

Le nouveau voisin de Wilma était le plus grand détective de l'île !

Mais laissons-les de côté un moment et revenons plutôt à Alan Kastoran qui, moins de soixante-douze heures après avoir heurté Wilma, allait finir mort et froid comme la glace. Terrifiant, non ?

4. Tantine, tartes et taupinières

lan Kastoran avait ses petites habitudes. Une fois par an, il mettait quelques affaires dans son sac à dos et prenait une charrette à destination de Pied-de-la-Colline, le village où vivait sa tante. Alan n'adorait pas vraiment sa tante. Pourtant, elle n'était pas une méchante femme et n'avait même pas cette détestable habitude qu'ont les vieilles dames de faire la bise en claquant les lèvres. Le problème, c'est que la tante d'Alan avait les pieds qui sentaient très, très, très mauvais. De plus, le soir, elle aimait les mettre devant la cheminée et remuer les orteils, ce qui ne faisait qu'empirer les choses. Mais supporter l'odeur des pieds de sa tante était un moindre mal pour Alan. En effet, elle mitonnait d'incroyables tartes au citron meringuées et des petits oignons tout à fait renversants. Alan en raffolait plus que tout et il en mangeait tant que sa tante avait du mal à suivre. Dans le monde des affaires, on appelle cela l'offre et la demande, et, dans le cas présent, la demande était bien supérieure à l'offre. Le matin où Wilma rencontra Alan, cette histoire d'offre et de demande allait provoquer une réaction en chaîne qui, trois jours plus tard, nous conduirait à retrouver Alan et sa tante refroidis, assassinés et morts.

À seulement onze heures trente-quatre du matin, Alan Kastoran avait déjà réussi à engloutir quarante-sept petits oignons et cinq tartes au citron meringuées. Assis à la table de la cuisine, il remarqua alors quelque chose de curieux. Il essuya les dernières miettes de tarte sur ses lèvres et se tourna vers sa tante.

— Dis-moi, tantine, je viens de m'apercevoir que tu avais du linoléum sur les murs et du papier peint au sol. Ça ne devrait pas être le contraire ?

La tante d'Alan, occupée à plier des torchons à l'autre bout de la table, leva les yeux et répondit :

— Oui, Alan, tu as raison. Normalement, on met le linoléum au sol et le papier peint sur les murs. Mais vois-tu, j'ai les pieds qui sentent très, très, très mauvais, et j'ai découvert qu'ils transpirent moins quand je marche sur du papier peint que sur du linoléum.

Alan écarquilla légèrement les yeux, étonné d'entendre sa tante parler avec autant de naturel de ses problèmes de pieds. Il ne sut d'abord pas comment réagir. Prenant bien soin de ne pas détourner les yeux, il soutint le regard de sa tante et commenta :

— Ah oui ? Je ne m'en étais jamais rendu compte.

Bien sûr, nous savons pertinemment qu'Alan s'était rendu compte que les pieds de sa tante sentaient horriblement mauvais. Il aurait été bien impossible de ne pas s'en rendre compte. Mais il avait la sagesse de comprendre que rien ne sert de souligner un problème gênant à quelqu'un qui en est déjà conscient. Et quand la tante d'Alan crut que pour la première fois de sa vie, quelqu'un n'avait pas remarqué l'affreuse odeur de ses pieds, elle se sentit plus heureuse que jamais. Elle sourit et son nez se plissa jusqu'à son front, puis elle se leva pour défaire son tablier.

— Alan, annonça-t-elle, je vais faire un saut chez l'épicier pour acheter de quoi refaire des tartes. Elles seront prêtes dans une heure ou deux. En attendant, pourquoi n'irais-tu pas te promener et explorer la toute petite colline ?

— Oui, tantine, acquiesça Alan avant de jeter un coup d'œil par la fenêtre. C'est vrai qu'il fait beau aujourd'hui. D'ailleurs, je pourrais peut-être aller faire un peu de plongée souterraine.

— Bonne idée, répondit sa tante en souriant. En tout

cas, je n'ai jamais connu quelqu'un qui adorait autant les tartes au citron meringuées !

Et sur ces mots, elle enfila son manteau et quitta la chaumière. Alan se leva pour la suivre des yeux et, l'espace d'un instant, il comprit qu'il n'adorait pas uniquement les tartes au citron meringuées et les petits oignons. Malgré ses pieds qui sentaient très, très, très mauvais, il adorait aussi sa chère tantine.

Les grandes personnes aiment bien râler pour rien, et si vous vous promenez parfois dans les champs en leur compagnie, vous saurez qu'il y a une chose qui les fait bondir à tous les coups.

— Regardez-moi cette horreur, s'exclament-elles en secouant la tête, des taupinières !

Les grandes personnes pensent que ces monticules de terre sont faits par les taupes qui creusent des galeries. C'est totalement faux. Ce sont des conduits d'aération pour plongeurs souterrains, et lorsque

ceux-ci en repèrent au détour d'une promenade, ils comprennent immédiatement que l'aventure est au rendez-vous.

Alan Kastoran aussi savait cela. Alors qu'il arpentait les flancs de la toute petite colline de Cooper, il ne mit pas longtemps à repérer une parfaite rangée de monticules : il y avait un tunnel non loin de là ! Alan se mit sur la pointe des pieds, leva les mains au-dessus de son crâne, et plongea tête la première dans un des trous. Une fois dans le souterrain, une puissante odeur de racines et de boue assaillit ses narines. Au fur et à mesure de sa descente, ses doigts devenaient de plus en plus mouillés et collants. Le tunnel était désormais si sombre qu'Alan ne voyait pas le bout de son nez. Il prit une allumette dans sa poche et alluma la bougie fixée à l'avant de son casque, qui émit alors une faible lueur blanche.

C'est à ce moment précis qu'Alan découvrit l'objet qui allait bouleverser son existence. À la lumière de la flamme, quelque chose se mit à briller droit devant lui. Incapable de se douter que ce caillou rutilant en forme de carotte allait signer son arrêt de mort, Alan se pencha pour le ramasser, sortit son petit marteau et lui donna un petit coup.

Immédiatement, la roche se désagrégea et là, dans un tas de poussière, apparut le plus beau et le plus gros diamant que ce paisible habitant de Cooper eût jamais vu. Alan écarquilla les yeux. Un diamant spectaculaire. Non, EXTRAORDINAIRE. Alan déglutit, murmura : « Fichtre ! », et ajouta même un petit « Ooooh ».

Cette découverte allait sans aucun doute changer sa vie et, le temps d'émerger du tunnel et de redescendre au pas de course la toute petite colline de Cooper, il se mit à réfléchir. « Est-ce que je suis riche, maintenant ? » se demanda-t-il en enjambant un buisson de bruyère.

— Je peux louer un étage entier de l'hôtel *Le Poulailler*, le plus chic de toute l'île ! Non, je n'ai qu'à acheter tout l'hôtel pour moi tout seul ! J'ai même de quoi acheter toute l'île, si je veux ! hurla-t-il en bondissant par-dessus un parterre de jonquilles.

Mais lorsque ses pieds touchèrent le sol, il s'arrêta net.

« Qu'est-ce que je raconte ? songea-t-il, un doigt sur les lèvres. Je le trouve moche, cet hôtel. Tout ce qui m'intéresse, c'est la tarte au citron meringuée et les petits oignons. Qu'est-ce que je vais bien pouvoir faire d'une immense fortune ? Je suis un homme simple, avec des goûts simples. »

Alan Kastoran baissa les yeux. Dans sa main, le diamant était dur et froid. Qui dit objet précieux dit grandes responsabilités, et alors qu'il regardait sa trouvaille, l'homme au bon cœur sut soudain exactement ce qu'il lui restait à faire.

— Tu en es sûr, Alan ? demanda sa tante, qui s'était assise sous le choc.

— Certain, tantine, répondit Alan.

Il posa l'extraordinaire joyau au milieu de la table de la cuisine et vint s'asseoir près d'elle. Le diamant émettait une lueur si intense que les tartes au citron meringuées tout juste sorties du four semblaient faites d'or massif.

— Je ne suis pas riche, c'est vrai, mais je ne manque de rien. Si je le vendais, qu'est-ce que je ferais de tout cet argent ? Bien sûr, je pourrais vivre dans un donjon ou prendre une suite au *Poulailler*, mais tout ce que j'aime, c'est manger de la tarte au citron meringuée et des petits oignons, et passer mes vacances avec toi. Je n'ai besoin de rien de plus. Non, ce diamant appartient à tout le monde. Je vais en faire don au musée. Savoir que chaque habitant de Cooper en profite sera une récompense suffisante.

Bien sûr, la tante d'Alan pensait que son neveu avait perdu la tête, mais il avait déjà pris sa décision. Il ferait don du diamant à l'île de Cooper.

5. Kastoran, un joli nom pour un diamant

Le réceptionnaire du bureau des objets enfouis de l'île de Cooper s'appelait Jérémy Burlingue. Jérémy était quelqu'un d'organisé, qui adorait faire des listes. Chaque matin, en se rendant à son travail, il énumérait dans sa tête tout ce qu'il avait à faire. Ce matin-là, voilà à quoi ressemblait sa liste :

1 – VIDER LES POUBELLES
2 – RÉPARER LE ROBINET
3 – NOURRIR LES POISSONS

En bref, Jérémy ne soupçonnait pas une seconde que ce jour allait être le plus palpitant de toute sa vie. D'habitude, alors qu'il remontait le chemin de gravillons qui menait à son bureau, Jérémy réfléchissait à sa liste, sortait ses clés de sa poche et les faisait tournoyer au bout de son doigt. Mais ce jour-là, il n'en eut pas le temps, car deux personnes l'attendaient devant la porte. Deux personnes qu'il n'avait jamais vues.

— Excusez-moi, demanda Alan qui se tenait là avec sa tante, c'est vous, le réceptionnaire des objets enfouis ?

Jérémy se redressa légèrement.

— Oui, c'est moi.

— Je m'appelle Alan Kastoran, et j'ai découvert quelque chose, annonça-t-il, les yeux brillants.

Une fois entré, Alan posa son sac à dos sur le comptoir et en sortit un balluchon de torchons. Avec délicatesse, il enleva les linges un par un jusqu'à révéler le plus merveilleux et le plus énorme diamant jamais découvert.

Jérémy Burlingue savait évaluer la valeur d'un objet en un seul coup d'œil, mais il se laissait rarement aller à exprimer sa surprise devant des inconnus. Pourtant, il s'entendit s'exclamer :

— Ça alors, je n'ai jamais rien vu de pareil !

Il saisit une paire de lunettes grossissantes à double lentille et les mit pour examiner le joyau. Il releva ensuite la tête, visiblement sous le choc, et ajouta :

— Et je n'ai pas la moindre idée de ce que c'est !

La tante d'Alan plissa les yeux et intervint :

— C'est un diamant très gros et très précieux. Même moi, je l'ai vu tout de suite.

— Oui, lui répondit Jérémy Burlingue avec un regard confus, ça, je le sais. Ce que je veux dire, c'est qu'il ne me semble pas qu'une telle chose ait déjà existé sur l'île de Cooper avant ce jour. Si c'est le cas, Alan, vous venez de découvrir une pierre extrêmement précieuse et totalement inconnue. Vous vous rendez compte ?

Non, Alan ne se rendait pas vraiment compte. Mais comme il ne voulait surtout pas que Jérémy s'en aperçoive, il ouvrit grand la bouche pour prendre l'air stupéfait.

— Mais ne nous laissons pas emporter, ajouta le spécialiste en rangeant ses lunettes dans la poche de son gilet. Je vais effectuer quelques tests. Il faut la passer au découvreur de diamants. C'est une machine qui reconnaît la composition organique des pierres précieuses. Elle me donnera le relevé de la quantité de carbone présente, et le chiffre ira quelque part sur ce graphique.

Jérémy tira sur une ficelle à sa gauche et déroula un poster. Alan opina du chef, mais il n'avait rien compris à ce que venait de dire le réceptionnaire. Il regrettait amèrement de n'avoir pas été plus attentif en classe de composition organique à l'école – mais il était un peu tard pour les regrets.

Le découvreur de diamants était un écrin de verre équipé de divers boutons, contenant une sphère de lumière bleue intense placée sur une pince argentée. Jérémy plaça la pierre entre les deux branches. La sphère bleue crépita et se mit à lancer des étincelles.

Le diamant ainsi suspendu dans le découvreur, Jérémy tripota quelques boutons et la machine se mit à vrombir. La sphère commença à tourner lentement, puis de plus en plus vite. Après quelques instants, on ne distinguait plus qu'une masse floue à la place du diamant.

— Ça ne prendra qu'une minute, indiqua Jérémy en tapotant le comptoir.

Mais il avait tort.

— Ça ne devrait plus tarder, reprit Jérémy, les doigts pianotant de plus en plus impatiemment.

— C'est presque fini, insista-t-il, perplexe.

Enfin, un tintement aigu retentit.

— Ah ah! triompha Jérémy. Le moment de vérité!

Un disque de la taille d'une pièce sortit de la machine. Jérémy s'en saisit et l'examina.

— Soixante-treize, annonça-t-il à voix haute. Votre diamant est composé de soixante-treize atomes de carbone, Alan.

— Et... euh... c'est bien, ça, monsieur Burlingue? demanda Alan.

— C'est beaucoup mieux que bien, Alan, dit gravement Jérémy en déroulant de nouveau son graphique. Je crois que ça approche même de l'incroyable. Regardez ça. Selon ce graphique, il n'existe aucune pierre précieuse contenant autant d'atomes de carbone. Est-ce que vous pensez à la même chose que moi, Alan?

— Oui, monsieur Burlingue, répondit Alan (bien sûr,

c'était un mensonge, car comme nous l'avons déjà compris, il n'avait pas été un élève très attentif à l'école).

— Et vous avez raison ! s'écria Jérémy, les yeux rieurs. Vous avez découvert un diamant tout à fait remarquable, totalement inconnu et extrêmement précieux !

La tante d'Alan était si émue qu'elle faillit sautiller sur place, mais après le long trajet depuis la chaumière, ses pieds devaient sentir encore plus mauvais que d'habitude. Du coup, elle se ravisa et se contenta d'agiter les mains en l'air.

— Je dois avertir le ministère des Grandes Découvertes, Alan, reprit Jérémy, très excité. Mais avant cela, ajouta-t-il en se penchant au-dessus du comptoir, vous devez lui donner un nom.

Alan s'accrocha à sa veste comme si sa vie en dépendait.

— Un nom ? Comme à un bébé ?

— C'est à peu près ça, oui, dit Jérémy avec un petit sourire. C'est une tradition scientifique : celui qui découvre quelque chose pour la première fois gagne le droit de le baptiser.

— C'est la chose la plus précieuse de tout le pays, Alan, intervint sa tante, alors choisis avec précaution.

— Je peux l'appeler « tarte au citron meringuée » ? s'enquit Alan (c'était la chose la plus précieuse à laquelle il pouvait penser).

— Pas vraiment, dit Jérémy en se grattant la nuque. Réfléchissez un peu plus.

Alan faillit demander s'il pouvait nommer le joyau « petits oignons ». Heureusement, il se rendit compte à temps que, parfois, il valait mieux garder ses pensées pour soi.

— Je peux l'appeler Alan ? demanda-t-il.

— Eh bien, hésita Jérémy (qui avait lui aussi décidé de garder ses commentaires pour lui), pourquoi pas plutôt votre nom de famille ? Kastoran ? C'est joli pour un diamant.

— Et pour moi, il n'existe rien de plus précieux, ajouta la tante d'Alan avec un clin d'œil et un coup de coude à son neveu.

— Alors c'est décidé ! acquiesça joyeusement Alan. Va pour Kastoran !

C'est ainsi que le plus précieux diamant jamais découvert prit le nom de pierre de Kastoran, et cette décision condamna immédiatement l'heureuse tante et son neveu à une mort certaine.

6. Méfions-nous des Affreux Criminels

Alan et sa tante furent assassinés le jour où la pierre de Kastoran quitta la chambre forte du bureau de Jérémy Burlingue pour être transportée au Musée national. L'honneur d'escorter le diamant revint au capitaine Brock et à sa 2e brigade des Faucons, une unité d'élite spécialisée dans la surveillance rapprochée.

— La pierre de Kastoran se trouve ici, commença le capitaine Brock lors de leur réunion préparatoire, au quartier général.

Posté devant son tableau noir, il montrait du doigt un carré dessiné à la craie sur lequel il avait écrit en gros « CHAMBRE FORTE ». Les membres de la 2e brigade des Faucons prirent note dans leur carnet de mission. C'est un calepin dans lequel on note les choses très importantes qu'on ne doit absolument pas oublier, surtout si on veut garder son emploi.

— Elle sera acheminée par voie de chemin de fer, reprit le capitaine Brock en longeant du doigt une ligne de pointillés, jusqu'ici.

Il désigna un autre carré qui portait le nom « MUSÉE ».

— Notre mission est de la surveiller, conclut le capitaine Brock d'un ton qui suggérait qu'il n'était vraiment pas là pour plaisanter (en tout cas pas ce jour-là). Nous devons nous assurer qu'aucun membre des Affreux Criminels de l'île ne pourra mettre la main dessus.

Le capitaine Brock observa la 2ᵉ brigade des Faucons, qui soutint son regard avec sérieux.

— Et ça, vous ne l'écrivez pas ? aboya le capitaine Brock en fixant la 2ᵉ brigade des Faucons d'un air sévère.

Tandis que la brigade se mettait à noter fébrilement, le capitaine Brock joignit les mains derrière son dos. Quiconque avait déjà rencontré le capitaine Brock savait que cela signifiait qu'il réfléchissait sérieusement. Beaucoup plus sérieusement en tout cas que lorsqu'il pensait à déguster un morceau de bacon croustillant ou à faire couler du sable chaud entre ses orteils. Le capitaine Brock pensait aux Affreux Criminels de l'île et à la terrifiante éventualité que la pierre de Kastoran puisse tomber entre leurs mains moites.

Ce matin-là, au village de Pied-de-la-Colline, Jérémy Burlingue s'assura que tout était prêt et en ordre. La pierre de Kastoran était dans une boîte, rangée sous clé jusqu'à l'heure du départ, dans la chambre forte, et il ne tolérerait pas qu'on prenne le moindre risque quant à sa sécurité. Comme prévu, le capitaine Brock était venu peu avant ses hommes afin d'inspecter les alentours. Alors, quand Jérémy entendit de nouveau le tintement familier de la sonnette de l'entrée quelques minutes à peine après son arrivée, on comprendra sa méfiance. En effet, le panneau « fermé » était accroché à la porte, et cette journée était cruciale pour lui. Jérémy ne put s'empêcher de ressentir un pincement d'angoisse ; quant au capitaine Brock, il joignit bien fort les mains dans son dos. Les Affreux Criminels de l'île pouvaient frapper à n'importe quel moment. Mais en apercevant le visiteur, Jérémy s'exclama, soulagé :

— Alan, par bonheur, ce n'est que vous ! Bonjour, entrez donc !

— Je voudrais voir mon diamant, demanda Alan, qui était un peu plus grand que dans le souvenir de Jérémy.

— Mais certainement, vous avez le passe spécial que je vous ai donné ?

— Ah, oui, répondit Alan en lui tendant le passe.

Jérémy était un peu surpris qu'Alan n'ait pas l'air plus content que ça de le voir, mais bon, c'était une journée stressante pour tout le monde. Il pouvait bien lui pardonner d'être un peu bourru. En théorie, Jérémy Burlingue ne devait montrer la pierre de Kastoran qu'au capitaine Brock, mais il n'hésita pas une seconde avant de conduire Alan à la chambre forte, tandis que le capitaine restait pour surveiller la porte d'entrée. Après tout, c'était Alan qui avait découvert la pierre, et puis on lui avait fourni un passe spécial.

— Très jolie, commenta Alan lorsqu'il ouvrit la boîte pour observer le scintillant joyau — et Jérémy se dit qu'il avait la voix un peu plus grave que la dernière fois. Vraiment très jolie.

— Vous avez attrapé froid ? s'enquit le réceptionnaire.

— Oui, répondit vivement Alan. C'est venu d'un coup, et ça m'a l'air assez tenace.

Il toussa pour achever de convaincre Jérémy.

— Nous ferions mieux de vite quitter cette chambre humide, alors, proposa ce dernier. Sortons d'ici, je vais laisser la boîte ouverte pour que le capitaine Brock la voie. Ensuite, je la fermerai pour de bon, et nous serons prêts à partir.

— Oui, oui, dit Alan, qui rendit la boîte à Jérémy et enfouit rapidement la main dans sa poche. Il faut refermer la boîte. D'ailleurs, vous devriez peut-être la fermer tout de suite, non ?

— Non, non, je... Oh ! s'écria Jérémy en se tapant le front d'une main. Mais vous devez me trouver très impoli, je ne vous ai rien proposé ! Et figurez-vous qu'il me reste de la tarte au citron meringuée dans mon bureau ! Vous en voulez ?

— Euh, non merci, répondit Alan, il faut que j'y aille.

Perplexe, Jérémy agita la main pour dire au revoir à Alan. Celui-ci partit comme s'il était très pressé, mais le réceptionnaire ne se posa pas plus de questions pour autant. Avant tout, il devait s'assurer que la pierre de Kastoran rejoigne le musée sans tomber entre les mains des Affreux Criminels de l'île. Et c'était autrement plus important que des histoires de tarte au citron meringuée.

À douze heures quatre précises, l'unité d'élite de la 2e brigade des Faucons rejoignit le capitaine Brock devant le bureau du réceptionnaire. Deux soldats se postèrent à la gauche du bâtiment, et deux autres furent affectés à sa droite. Comme le capitaine Brock était le plus expérimenté, il surveillait les deux côtés à la fois. N'essayez surtout pas de faire cela chez vous. Le capitaine Brock a reçu un entraînement spécial de surveillance rapprochée, mais pas vous. Essayer de regarder dans deux directions à la fois peut provoquer un terrible mal de tête, voire une mort instantanée.

— Veuillez noter que je ne vois aucun Affreux Criminel à gauche ni à droite, commenta le capitaine Brock, les mains jointes dans le dos. Je vais maintenant pénétrer dans le bureau du réceptionnaire des objets enfouis, et là, je surveillerai la pierre de Kastoran tandis qu'elle quittera la chambre forte.

La plupart des chambres fortes ont une porte blindée, et celle-là ne faisait pas exception.

— Ça ne vous dérange pas de regarder ailleurs pendant que je compose le code de la chambre forte ? demanda Jérémy au capitaine Brock.

Le capitaine Brock fronça les sourcils. Regarder ailleurs n'était pas très naturel, chez lui. Son travail, c'était justement de regarder. Toutefois, les circonstances étant exceptionnelles, il se concentra à la place sur une goutte d'eau qui dévalait la paroi visqueuse de la chambre forte.

— Ça y est, annonça Jérémy après une série de cliquetis. Vous pouvez arrêter de regarder ailleurs.

Le capitaine Brock se détendit. Dans la chambre sombre se tenait une petite boîte en métal, ouverte. Il s'approcha en prenant soin de regarder du mieux qu'il pouvait. Jérémy prit la boîte et la plaça à la lumière.

— Capitaine Brock, j'ai l'honneur de vous présenter la pierre de Kastoran.

Le capitaine Brock retint son souffle. La pierre de Kastoran était sans aucun doute la chose la plus belle et la plus immensément précieuse qu'il ait jamais eu à surveiller.

— Ce diamant ne doit jamais tomber entre les mains d'un Affreux Criminel, dit-il avec le plus grand sérieux, sa détermination renforcée. Maintenant, veuillez fermer la boîte. Vous allez être escorté jusqu'à un train où vous vous rendrez dans le wagon numéro cinq. Vous prendrez place dans le siège qui vous sera désigné. L'unité d'élite et moi-même nous tiendrons en cercle autour de vous pour vous surveiller tous les deux, vous et la boîte, jusqu'à l'arrivée au musée. Vous comprenez ?

— Oui, répondit Jérémy. Merci, capitaine Brock.

Son ton s'était fait soudain très solennel, comme quand les grandes personnes parlent de chaises de jardin.

Une fois dans le train, personne ne pipa mot pendant les cinq kilomètres du trajet. Jérémy avait envie de discuter de la météo, si douce pour la saison, et des campanules qui apparaissaient dans les champs. Mais quand il s'aperçut que le capitaine Brock et la 2ᵉ brigade des Faucons se tenaient en cercle autour de lui, à l'observer si fort qu'ils en transpiraient, il se ravisa. De toute évidence, ce n'était pas le moment de parler de la pluie et du beau temps.

Le train arriva dans la gare du musée, et Jérémy se leva.

— Allons-y calmement, monsieur Burlingue, lui dit le capitaine Brock sans jamais quitter la boîte des yeux. Faucons, deux d'entre vous avec la boîte, deux sur le quai.

— La voie est libre ! cria un soldat dehors.

— Avancez, monsieur Burlingue, commanda le capitaine Brock.

Et tous ensemble, ils quittèrent le train.

Sur le quai se tenait le comité d'accueil du musée. Au moment où Jérémy descendit du train, le conservateur du musée, un monsieur pompeux et rondouillard, fit signe à un homme avec une trompette. Celui-ci entonna sur-le-champ un air de fanfare.

— Cessez immédiatement ! hurla le capitaine Brock, les yeux toujours fixés sur la boîte. Vous tenez à avertir tous les Affreux Criminels de l'île de notre présence ?

Le trompettiste arrêta de jouer, déçu.

— Capitaine Brock, dit le conservateur, vous avez la pierre de Kastoran avec vous ? Tout va bien ?

— Oui, monsieur le conservateur, répondit le capitaine Brock en s'avançant vers le comité d'accueil.

— Eh bien, laissez-nous la voir, dit le conservateur en bombant le torse pour montrer à tout le monde qu'on ne rigolait pas avec lui.

— Voilà, monsieur le conservateur, dit Jérémy en lui tendant la boîte. La pierre de Kastoran.

Le conservateur sourit et saisit la boîte. Toujours surveillé de très près par le capitaine Brock, il prit une grande inspiration puis l'ouvrit.

— Par tous les saints ! s'écria le capitaine Brock.

Le conservateur leva les yeux, livide.

— Messieurs, annonça-t-il d'un ton crispé, son torse bombé se dégonflant d'un coup, la pierre de Kastoran a disparu !

À ce moment précis, au village de Pied-de-la-Colline, un cri résonna : le voisin de la tante d'Alan Kastoran venait de découvrir la brave dame et son neveu étendus sur le papier peint de la cuisine, morts. On les avait assassinés.

7. Théodore P. Lebon habite vraiment ici ? Vraiment pour de vrai ?

e thé à la menthe de Théodore P. Lebon était presque prêt, mais Mme Frisquet ne le lui apportait jamais avant que la couleur ne soit parfaite. Le détective désirait que son thé à la menthe soit de la couleur exacte du gazon un matin de printemps. Un brin plus clair, et il l'aurait trouvé trop faible ; un poil plus foncé, et il aurait passé le reste de l'après-midi à faire les gros yeux – ce dont Mme Frisquet se serait bien passée, merci.

Mme Frisquet, la gouvernante du détective Lebon, avait toujours froid, même durant les plus chaudes journées d'été. Chaque jour, elle restait emmitouflée dans des pull-overs en laine et des pantalons en laine, coiffée non d'un, mais de deux bonnets à pompon en laine, au cas où. De ses épais manteaux à ses sous-vêtements, tout ce que portait Mme Frisquet était en laine. Même ses bottes en caoutchouc.

Alors qu'elle attendait patiemment que le thé à la menthe de Théodore P. Lebon prenne la teinte voulue, elle tira sur son front son second bonnet à pompon. Elle venait de sentir une petite brise et étudia attentivement la pièce pour en trouver la provenance. Mme Frisquet avait un talent phénoménal pour épingler la source des courants d'air. Peut-être cela venait-il de ce trou dans le mur, là où une famille très nombreuse de fourmis semblait avoir élu domicile ? Elle poussa le billot de cuisine et s'accroupit pour y voir de plus près. Non. Rien de ce côté-ci.

Mme Frisquet se releva. C'est alors qu'elle vit frémir le rideau de la fenêtre de derrière. Elle écarta le tissu d'une main et se rendit compte qu'un côté de la fenêtre s'était entrouvert tout seul. Mme Frisquet fronça les sourcils et se pencha au-dessus du plan de travail afin d'attraper la poignée, mais le meuble l'empêchait de l'atteindre. Elle se redressa dans ses bottes en laine. Agacée, elle se demandait comment elle allait bien pouvoir faire, quand une petite voix lui parvint de l'extérieur.

— Est-ce que Théodore P. Lebon habite vraiment ici ?

Mme Frisquet regarda en direction de la voix, mais ne vit personne. Cela ne l'empêcha pas de répondre « Oui », car s'il y avait une chose dont Mme Frisquet était tout à fait sûre, c'était qu'il valait toujours mieux répondre à une voix qui semblait venir de nulle part.

— Théodore P. Lebon, le célèbre détective ? ajouta la voix avec excitation.

— Pourquoi, vous en connaissez un autre, de Théodore P. Lebon ? Évidemment, le célèbre détective.

— Est-ce qu'il a un apprenti ? demanda encore la voix.

— Voilà qui suffit ! s'écria Mme Frisquet. Je n'ai pas à répondre à des questions concernant mon employeur et concernant l'apprenti qu'il a ou qu'il n'a pas – d'ailleurs il n'en a pas. Et encore moins quand la personne qui pose ces questions reste invisible. Un apprenti, et puis quoi encore !

Une petite tête apparut à la fenêtre. C'était Wilma, les yeux brillants et un grand sourire aux lèvres.

— Il habite vraiment ici ? Vraiment pour de vrai ? Moi, j'habite juste à côté. Avant, je vivais en Bas de l'île, à l'Institution pour Petits Malchanceux, mais ils m'ont envoyée ici travailler pour Mme Ronchard. Ça fait trois jours, et pour l'instant, j'ai vu une boulangerie avec un énorme gâteau, une balançoire cassée et un buisson en forme d'aigle. J'ai lu des tas de choses sur Théodore P. Lebon. Je vais devenir une célèbre détective, moi aussi. Je m'appelle Wilma et lui, c'est Pétrin. C'est un chien. Vous n'avez pas chaud avec tous vos habits en laine ?

Comme nous le savons, Wilma n'avait que dix ans, ce qui explique son enthousiasme mais aussi son oubli soudain des bonnes manières. Mais Mme Frisquet, elle, était une femme de cinquante-deux ans qui n'avait à ce moment-là aucune envie d'expliquer son goût du tricot à une fillette effrontée. Ou à son chien.

— Écoute-moi, jeune fille, dit Mme Frisquet en tirant fermement sur son bonnet à pompon. On ne peut devenir un célèbre détective qu'en trimant dur et en s'adonnant à de longues heures de silence contemplatif. Et de toute évidence, le silence n'est pas ta spécialité.

— C'est quoi, un silence contemplatif ? demanda Wilma, qui s'accrocha au bord de la fenêtre pour s'y balancer.

— C'est un silence pendant lequel on réfléchit longuement à quelque chose. Comme tu devrais le faire avant de recommencer à te balancer à cette fenêtre.

— Qui se balance à ma fenêtre, madame Frisquet ? intervint une voix chaude comme un gâteau sortant du four.

Quand les grandes personnes pensent à quelque chose de simple, elles disent souvent : « Ça, c'est du gâteau. » Les grandes personnes sont donc persuadées qu'un gâteau, ça n'a rien de sérieux ; c'est trop bon pour être sérieux. Eh bien pourtant, cette voix-là, on aurait dit un gâteau très, très sérieux. En l'entendant, Wilma lâcha la fenêtre et tomba dans un parterre de perce-neige. Pétrin se mit à aboyer et à sautiller. Mme Frisquet, qui venait de remarquer que le thé à la menthe avait pris une teinte de vert qui ne convenait pas du tout, tressaillit et se retourna. Là, devant elle, se tenait Théodore P. Lebon.

N'y allons pas par quatre chemins : Théodore P. Lebon était un homme très imposant. En qualité de descendant du grand Hayten Araucan, un des fondateurs de l'île de Cooper, le détective avait le droit de porter la moustache. Le poil dense rassemblé sous son nez se déployait en deux superbes moustaches blondes, aux pointes marron foncé, comme trempées dans du sirop d'érable. Il était blond comme les blés et, illuminé par les rayons du soleil qui entraient par la fenêtre de la cuisine, son visage semblait fait d'or pur. Il portait un gilet de soie fine et un pardessus en cuir fatigué aux poches plus vastes que les océans. À la boutonnière, il avait attaché une chaînette au bout de laquelle pendait une loupe – l'accessoire de choix pour tout détective digne de ce nom.

— Monsieur Lebon ! s'écria Mme Frisquet (elle gardait les yeux rivés sur le thé, dans l'espoir que son employeur accepterait de le boire). Rien d'important, vraiment. Regardez, votre thé est prêt. Vous voulez que je vous mette quelques croustilles sucrées avec ?

Les moustaches de Théodore frémirent à la mention des croustilles sucrées, pour lesquelles il avait un faible terrible. Mais le devoir d'un détective passe avant son amour des biscuits, et si quelqu'un se balançait à sa fenêtre, Théodore se devait de savoir de qui il s'agissait. Il se mit à tripoter machinalement sa loupe.

— Je vous ai pourtant entendue converser avec quelqu'un à l'instant, madame Frisquet, insista-t-il.

— Ça veut dire quoi, converser ? intervint de dehors une petite voix étouffée.

— Parler, discuter, et d'une manière générale, participer à une conversation, répondit le détective en passant la tête par la fenêtre de la cuisine.

La première fois que deux personnes se rencontrent, aucune ne saurait prédire si sa vie sera désormais liée à l'autre pour toujours. Ainsi, le célèbre Théodore P. Lebon ne pouvait pas savoir que, moins d'une semaine après sa rencontre avec Wilma Tenderfoot, cette fillette effrontée se retrouverait en si grand danger qu'il serait son seul espoir. Mais à cet instant, Wilma ne courait aucun danger ; elle était simplement avachie au milieu des perce-neige d'un grand détective et, même si ce n'était pas très périlleux, cela n'en restait pas moins embarrassant.

— Je vois, commenta Théodore en examinant la fillette. On dirait que tu as écrasé mes perce-neige.

— J'ai pas fait exprès, bredouilla Wilma. C'est vrai, je suis par terre, mais ce n'est pas parce que je suis paresseuse ou parce que je voulais abîmer vos fleurs. Je me balançais à la fenêtre et je suis tombée. Et puis je crois que je me suis coupée, ajouta-t-elle en exhibant un doigt ensanglanté.

Mme Frisquet leva les yeux au ciel. Non seulement le thé à la menthe était fichu, mais il y avait maintenant des blessés à secourir ! La gouvernante se mit sur la pointe des pieds, aussi haut que le lui permettaient ses bottes en laine plates, afin de jeter un coup d'œil au doigt accidenté, mais en vain. Elle était trop petite, et ses deux bonnets à pompon étaient descendus si bas sur son front qu'elle ne voyait plus que de la laine ! Conscient que sa gouvernante était à deux doigts de perdre la tête, Théodore posa une main apaisante sur son épaule.

— Ne vous inquiétez pas, madame Frisquet, je m'en occupe. Et par ailleurs, ajouta-t-il avec un coup d'œil en direction de la théière, ce thé à la menthe n'a pas une couleur convenable. Je le sais, et vous le savez, mais si je n'en prends pas, il est possible que je l'oublie. Alors je vais aller chercher notre jeune visiteuse, et pendant ce temps-là, vous pourrez refaire du thé. Quant aux croustilles sucrées, ce sera avec plaisir, en effet. Merci, madame Frisquet.

Mme Frisquet devait bien admettre que cela résolvait tous ses problèmes, mais elle était têtue et peu encline à oublier et pardonner instantanément. Elle repoussa donc ses deux bonnets afin de s'occuper du thé et se mit à marmonner dans sa barbe quelques mots que bien des grandes personnes trouveraient choquants. Cependant, des yeux innocents nous lisent, et cela ne nous avancera à rien de répéter ici les paroles de Mme Frisquet. Disons qu'elle était fâchée, et cela suffira amplement.

Théodore sortit dans le jardin de la Claire Chaumière – c'était le nom de sa maison – et aperçut Wilma. Toujours assise dans ses perce-neige, elle tenait son doigt ensanglanté en l'air, et près d'elle se trouvait un beagle en piteux état. Théodore P. Lebon n'était pas marié et il n'avait pas d'enfants. Il avait bien été fiancé autrefois à une danseuse du nom de Betty mais, si je peux vous donner un conseil, évitez à tout prix de lui en parler. Face à la fillette, le célèbre détective hésitait donc sur la marche à suivre. Théodore avait l'habitude de s'occuper des Affreux Criminels de l'île, des gaillards costauds à la dentition fantaisiste et à l'hygiène défaillante. En revanche, il manquait cruellement d'expérience pour ce qui était des fillettes effrontées.

— Bon, dit-il enfin en observant Wilma de toute la hauteur de ses moustaches. Cette situation est inacceptable. Debout, suis-moi.

Wilma avait mal au doigt, et si elle avait eu une maman pour la consoler avec un câlin, elle se serait mise à pleurer sur-le-champ. Mais lorsqu'elle suivit le détective dans la Claire Chaumière et vit le regard sévère que lui lança Mme Frisquet, elle comprit que les larmes ne la mèneraient nulle part. D'ailleurs, elle était tellement excitée de voir l'intérieur de la maison de Théodore P. Lebon qu'elle en avait déjà presque oublié son doigt endolori. Elle dut trottiner pour suivre les grandes enjambées de Théodore.

— Je m'appelle Wilma Tenderfoot, dit-elle gaiement.

J'ai grandi à l'Institution pour Petits Malchanceux. Plus tard, je serai détective.

— Ah oui ? répondit poliment Théodore.

— Oui, mais je ne m'occuperai que des grandes affaires. Vous savez, les meurtres, et puis aussi tous les autres meurtres.

— Mmm, ah oui ? C'est là, entre donc, répondit Théodore, qui avait ouvert la porte d'une grande salle de bains.

Théodore P. Lebon n'avait pas l'habitude du bavardage incessant des enfants. Tout ce qu'il voulait, c'était soigner le doigt de Wilma, la renvoyer chez elle et s'asseoir devant une bonne tasse de thé et une assiette de croustilles sucrées. Pour faire simple, de l'avis de Théodore, un détective très sérieux et une fillette rescapée d'un orphelinat malchanceux n'étaient pas faits pour être amis. Loin de là.

— Qu'elle est grande, votre salle de bains ! s'écria Wilma.

Dans le coin au fond de la pièce, des marches menaient à une immense baignoire ronde surplombée de trois fenêtres cintrées, illuminées par le soleil. Le sol était constitué de centaines de petits carreaux colorés.

— Une minute, ajouta Wilma, la tête inclinée pour mieux voir. Regarde par terre, Pétrin ! C'est une carte de l'île de Cooper !

Pétrin aboya. Non, il n'avait pas compris que c'était une carte. Il n'y connaissait rien, parce que c'était un chien. En revanche, toutes ces nouvelles odeurs lui plaisaient beaucoup.

— En effet, dit Théodore en ouvrant le placard au-dessus du lavabo. Cela s'appelle une mosaïque.

— Une mosaïque, répéta Wilma en acquiesçant. C'est la quatrième nouvelle chose que j'apprends aujourd'hui.

Théodore sourit. Il attrapa un petit tabouret près du panier à linge et le poussa vers Wilma.

— Assieds-toi là, s'il te plaît, et montre-moi ton doigt.

— C'est qui, ça ? demanda Wilma en s'asseyant.

Elle désignait une photographie en noir et blanc accrochée au mur, représentant un jeune garçon qui se tenait près d'un monsieur à l'air sérieux. Ce dernier avait une expression qui semblait signifier « non merci, pas aujourd'hui » (c'est ce que disent les grandes personnes quand elles ne veulent pas être dérangées par des gens qui essaient tout de même de les déranger). Théodore, occupé à déballer un morceau de coton, jeta un regard au cadre.

— Eh bien, le jeune garçon, c'est moi. Quant au monsieur, c'est Anthony Amber. C'était un très grand détective. C'est lui qui m'a tout appris.

— Alors vous étiez son apprenti ? demanda Wilma, qui se retourna soudain pour regarder le détective droit dans les yeux.

— En effet. Ne bouge plus. Je ne peux pas nettoyer ton doigt si tu n'arrêtes pas de remuer.

— Ça veut dire que vous venez du Bas, vous aussi ? insista Wilma, les yeux écarquillés.

— C'est exact.

Wilma en resta bouche bée. Alors son héros venait du même côté de l'île qu'elle ! Cette révélation l'emplit de joie, et elle ajouta :

— Et c'est qui, votre apprenti à vous ?

Pressentant ce qui allait suivre, Théodore préféra se concentrer sur le sang à nettoyer au bout du doigt de Wilma pour gagner du temps. Il jeta le morceau de coton dans la corbeille et prit un pansement, puis constata que Wilma ne l'avait pas quitté des yeux.

— Je n'ai pas d'apprenti, répondit-il enfin.

— Pas de chance, commenta Wilma en secouant la tête d'un air désapprobateur. Mais heureusement pour vous, je peux commencer aujourd'hui. Voilà, c'est réglé. Bien sûr, il faudra quand même que je m'occupe des corvées de Mme Ronchard, mais je trouverai sûrement quelques heures à vous accorder.

Théodore fit tomber le pansement et fronça légèrement les sourcils. Il se pencha pour le ramasser et en profita pour se demander comment il avait bien pu se fourrer dans une telle situation, et comment il allait bien pouvoir s'en tirer. Il avait l'habitude d'annoncer aux gens de mauvaises nouvelles concernant de terrifiants larcins et d'effroyables meurtres. Cela faisait partie de ses fonctions. Mais annoncer à une petite fille de mauvaises nouvelles concernant ses espoirs, ses rêves et ses aspirations professionnelles n'avait rien à voir. Toutefois, pour Théodore, la franchise était la meilleure des qualités, en toutes circonstances. Alors, tandis qu'il enroulait le pansement autour du doigt de Wilma, il la regarda droit dans les yeux pour lui annoncer :

— Je n'ai pas besoin d'un apprenti pour le moment, merci. Garde la main en l'air.

Wilma le dévisagea.

— Mais il vous en faudra un bientôt ? demanda-t-elle d'un ton plaintif. Parce que j'habite juste à côté. Je sais bien que je ne suis pas encore détective, mais j'ai déjà de l'expérience. Comme la semaine dernière à l'orphelinat, quand un sac de sucres d'orge a disparu du bureau de Tommy Barton, et personne ne savait qui l'avait volé. Eh bien c'est moi qui ai découvert que c'était Frank Finley parce que quand je lui ai parlé, j'ai bien vu qu'il avait la bouche pleine de bonbons.

— Tu as dû déployer des trésors de déduction pour cela, commenta Théodore en réprimant un sourire.

— Ça veut dire quoi, déduction ?

Le mot lui disait bien quelque chose, mais elle n'était plus très sûre.

— Est-ce que c'est comme une addition, mais il faut enlever des nombres au lieu de les ajouter ? Je ne vois pas le rapport avec les bonbons de Tommy Barton.

Théodore fit un nœud au bandage sur le doigt de Wilma.

— C'est exact, la déduction est l'opération inverse de l'addition. Il faut enlever des nombres au lieu de les ajouter. Mais dans ce contexte, faire une déduction, c'est découvrir la solution à un problème après avoir examiné les indices.

Wilma dévisagea Théodore.

— Ça veut dire quoi, contexte ?

Le détective se racla la gorge.

— Le contexte, c'est la situation. Dans le contexte des mathématiques, une déduction, c'est une soustraction : quand tu enlèves un nombre à un autre. Mais dans le contexte d'un crime, une déduction, c'est la résolution d'une énigme basée sur l'examen des faits. Donc, dans l'énigme des sucres d'orge de Tommy Barton, le fait que tu aies surpris Frank Finley la bouche pleine de bonbons est un indice qui pourra mener à la déduction que c'est lui le coupable. Le coupable, c'est celui qui a commis le crime.

— Ah oui, acquiesça Wilma, je me souviens. Une déduction. C'est le deuxième petit truc dans votre liste du bon détective. Et le premier, c'est de contempler les indices ! Est-ce que je suis votre apprentie, maintenant ? Vu que c'est quand on apprend quelque chose avec l'aide de quelqu'un qui sait de quoi il parle ?

Théodore ne répondit pas.

— C'est ce que j'ai déductionné, ajouta Wilma très sérieusement.

— Déduit, pas déductionné, répondit Théodore après un court instant. Je n'ai pas besoin d'un apprenti pour le moment, et je ne compte pas en chercher un prochainement. Bien, j'ai soigné ton doigt, alors tu vas pouvoir te sauver — et peut-être devrais-tu empêcher ton chien de manger le savon.

— Tout de même, insista Wilma en descendant du tabouret pour attraper Pétrin par le collier, si vous en cherchez un, je pense que c'est moi qu'il vous faudra.

— Oui, oui, dit Théodore qui avait ouvert la porte de la salle de bains. Bien, je suis sûr que tu sauras retrouver la sortie. Au revoir.

Au moment de passer devant le détective, Wilma se rappela soudain ses bonnes manières.

— Merci d'avoir soigné mon doigt, monsieur Lebon, dit-elle poliment.

Théodore n'avait alors plus rien à dire à la fillette. Et de toute façon, il avait aperçu Mme Frisquet qui s'avançait dans leur direction, toute de laine vêtue, un plateau de thé et de croustilles en équilibre sur un bras. Elle ouvrit une porte sur la gauche du couloir à l'instant où Wilma passait à côté. La fillette s'arrêta net et poussa un cri aigu.

— C'est votre bureau ?

Théodore surveillait avec attention l'assiette de croustilles sucrées de Mme Frisquet, et il répondit distraitement :

— Oui, mmm, c'est exact.

— Je peux regarder à l'intérieur ?

— Il n'en est pas question, intervint Mme Frisquet, tu as assez embêté M. Lebon comme ça. Maintenant file. L'inspecteur Lecitron est là, monsieur Lebon. Au sujet du vol de la pierre de Kastoran et du meurtre de deux braves gens à Pied-de-la-Colline.

Un objet volé ? Deux personnes assassinées ? Wilma se mit à réfléchir à toute vitesse. Théodore acquiesça et enfonça les mains dans les poches de son gilet.

— Faites-le entrer, madame Frisquet.

— Allez, vous deux, du balai, répéta Mme Frisquet à l'attention de Wilma et Pétrin tout en s'essuyant les mains sur son tablier.

— Oh ! s'exclama alors Wilma. Je viens de me rappeler que j'ai laissé mon écharpe dans la salle de bains !

Mme Frisquet poussa un gros soupir. Elle devait aller chercher l'inspecteur Lecitron, étendre la lessive et se rendre à la boulangerie avant la fermeture. Elle jaugea Wilma du regard.

— Bon, va la chercher. Mais tu rentres chez toi juste après, c'est compris ?

— Oui, madame Frisquet, acquiesça Wilma, qui n'avait bien entendu absolument pas l'intention d'obéir.

8. L'inspecteur Lecitron entre en scène (et mange toutes les croustilles)

L'inspecteur Lecitron était un homme corpulent, aux joues rondes comme des petits pains. À ce moment-là de notre histoire, il était un peu essoufflé. La Claire Chaumière était située à une quarantaine de minutes de marche du poste, et l'inspecteur, qui avait horreur de toute activité physique, manquait terriblement d'exercice. Si seulement l'inspecteur Lecitron avait eu des hommes sous ses ordres ! Il se ferait tout simplement conduire où bon lui semblerait à l'arrière d'une bicyclette ou dans une jolie calèche. Mais sur l'île de Cooper, il n'y avait qu'un seul policier, et c'était l'inspecteur Lecitron. Il n'avait donc d'autre choix que d'affronter seul les grandes montées.

Quand Mme Frisquet revint vers la porte d'entrée, l'inspecteur Lecitron était en train de fouiller ses poches à la recherche d'un mouchoir pour s'éponger le front.

En l'entendant arriver, il abandonna et s'essuya rapidement avec la manche de son imperméable. Il n'avait aucune envie que la gouvernante se rende compte qu'il était incapable de marcher quarante petites minutes sans arriver tout suant et poisseux. Mme Frisquet était veuve et l'inspecteur avait un petit faible pour elle depuis dix ans, mais cela ne nous regarde pas. Cela n'est pas une romance à l'eau de rose, mais une histoire de vol et de meurtre, alors n'y pensons plus.

— M. Lebon va vous recevoir, inspecteur, annonça Mme Frisquet avant de ramasser le panier de linge qu'elle avait déposé sur la desserte.

— Merci, madame Frisquet. Vous avez besoin d'aide ? demanda Lecitron.

— Non merci, répondit la gouvernante, sans prêter attention à l'inspecteur.

Celui-ci tenta de sourire, mais Mme Frisquet ne le regardait même pas. Oh, à quoi bon ?

L'inspecteur était venu suffisamment souvent à la Claire Chaumière, ces dernières années, pour se rendre tout seul jusqu'au bureau de Théodore. Alors qu'il empruntait le long couloir, il entendit un bruit, si discret qu'il n'était pas sûr de ce que c'était, ni même sûr de l'avoir vraiment entendu.

— Il y a quelqu'un? appela-t-il dans l'obscurité.

Il resta immobile quelques instants — et en profita pour apprécier le côté reposant de la chose — mais n'obtint pas de réponse. Il haussa les épaules et ouvrit la porte du bureau de Théodore P. Lebon.

Ce bureau était une vraie mine d'or. L'un des murs foisonnait tellement de récompenses, de certificats et de diplômes que ces derniers étaient empilés sur les certificats, et les certificats sur les récompenses. Partout, des photos, des vitrines et des bibliothèques. Près de la cheminée, on trouvait deux fauteuils en cuir et une table basse sur laquelle reposait un plateau de jeu de Lantha. Assis dans l'un des fauteuils, Théodore tenait une soucoupe dans une main et une tasse de thé à la menthe dans l'autre. L'inspecteur prit un siège. Théodore remarqua alors avec un pincement d'angoisse que Mme Frisquet n'avait apporté que deux croustilles sucrées. La bouche pleine de thé à la menthe brûlant, il ne lui resta plus qu'à regarder l'inspecteur Lecitron attraper les deux biscuits et les fourrer dans sa bouche. Théodore déglutit et considéra l'assiette vide.

— Mmm, je devrais peut-être demander à Mme Frisquet de nous apporter quelques croustilles sucrées supplémentaires.

— Ah, elle est partie étendre le linge, Lebon, répondit l'inspecteur qui s'essuya la bouche du revers de la main. C'est bien dommage. Elles sont vraiment délicieuses, non ?

Théodore esquissa l'ombre d'un sourire et reposa sa tasse.

— Bien, inspecteur... au travail. La pierre de Kastoran ?

L'inspecteur sortit un calepin de la poche intérieure de son imperméable et se mit à le feuilleter.

— Voilà ce qui s'est passé, Lebon : la pierre de Kastoran, le joyau le plus précieux jamais découvert, a disparu. Elle a été dérobée quelque part entre le bureau du réceptionnaire des objets enfouis et le quai 3B de la station du Musée national, entre douze heures zéro-zéro et treize heures vingt-cinq zéro-zéro.

— On ne dit pas « zéro-zéro » quand on a donné les minutes, inspecteur, intervint Théodore, mais uniquement quand c'est l'heure pile. On peut dire « neuf heures zéro-zéro » mais pas « neuf heures cinq zéro-zéro » ni « onze heures douze zéro-zéro ».

— Je sais, répliqua l'inspecteur. Mais j'aime bien dire « zéro-zéro ». Ça fait plus officiel.

Théodore se contenta de hausser les sourcils.

— De toute évidence, le vol est l'œuvre de quelqu'un de l'intérieur, soupira l'inspecteur. J'ai arrêté Jérémy Burlingue, le réceptionnaire des objets enfouis. Pour l'instant, il n'a rien avoué.

— Mmm. Il faudra que je l'interroge, bien sûr. Je vous laisse organiser une entrevue, si vous le voulez bien, inspecteur. Et qu'en est-il des personnes assassinées ? demanda Théodore en sortant une pipe de la poche de son gilet pour la bourrer de tabac au romarin. Y a-t-il un lien ?

— Alan Kastoran et sa tante, acquiesça l'inspecteur Lecitron. C'est l'homme qui a découvert la pierre et qui l'a apportée à Burlingue. Ce n'est qu'une supposition, mais c'est probablement le réceptionnaire qui s'est débarrassé des deux Kastoran.

Théodore arrêta de bourrer sa pipe.

— Et ont-ils été tués avant ou après le vol de la pierre de Kastoran ?

— Difficile à dire. Apparemment, les deux forfaits ont été commis en même temps.

Théodore se leva et se dirigea vers la porte.

— Inspecteur, déclara-t-il, il nous faut nous rendre au musée immédiatement. Mais tout d'abord, ajouta-t-il en ouvrant la porte d'un geste théâtral, tu ferais mieux de rentrer chez ta maîtresse.

Collée au trou de la serrure, Wilma, qui avait entendu tout ce qu'il y avait à entendre, leva les yeux, penaude.

— Est-ce que tu connais l'expression « prise la main dans le sac », jeune demoiselle ? demanda Théodore.

Wilma secoua la tête et se dandina d'un pied sur l'autre. Derrière elle, Pétrin roula sur le dos et agita les pattes en l'air – une tactique qui l'avait bien souvent tiré d'affaire –, mais Théodore n'eut pas l'air de s'y laisser prendre.

— Cela signifie être surprise à faire quelque chose d'interdit. Tu viens donc d'apprendre une cinquième chose, et tu conviendras sans doute que c'est plus qu'il n'en faut pour aujourd'hui. Inspecteur, si vous voulez bien me suivre, nous n'avons pas un instant à perdre.

— Nous n'y allons pas à pied, hein ? geignit l'inspecteur avant de se lever pour suivre le grand détective hors de la pièce.

Wilma regarda le détective Lebon et l'inspecteur s'éloigner rapidement dans le couloir. Pour ce qui était des nouveautés, Wilma estimait au contraire que la journée ne faisait que commencer. Si seulement elle connaissait le chemin du musée… C'est alors qu'elle se souvint.

— La mosaïque ! murmura-t-elle à Pétrin.

Et, tout excitée, elle se précipita dans la salle de bains pour y chercher son chemin.

5. Rien ni personne n'arrête Wilma Tenderfoot !

À quatre pattes par terre, Wilma avait trouvé la pastille « VOUS ÊTES ICI » sur le sol de la salle de bains, à gauche du lavabo. Elle suivit de son doigt éraflé le chemin qui serpentait de la Claire Chaumière jusqu'au grand village de Cooperville. La poste était située sous le porte-serviettes, et la boulangerie près du porte-savon. Si elle empruntait la route qui passait devant le palais Poulet, à droite du petit tapis de bain, il ne lui resterait plus qu'à tourner à gauche, au niveau de la balayette des toilettes, pour trouver le Musée national, juste en face du panier à linge sale. Formidable. Enfin sûre de son itinéraire, Wilma se releva et jeta un regard envieux à la photographie du jeune Théodore et de son mentor, Anthony Amber.

— Allons Pétrin, dit-elle, résolue. Il faut qu'on se dépêche, sinon on va tout rater. Rien ni personne n'arrête Wilma Tenderfoot !

*

— Ah non ! s'exclama l'inspecteur Lecitron à la vue du tandem que Théodore sortait de son abri de jardin. On ne pourrait pas prendre le train à vapeur, Lebon ? Il y en a un toutes les heures.

— C'est exact, inspecteur, il y a un train toutes les heures, répondit Théodore en s'installant sur la selle de devant. Mais il vient de passer, et il nous faudrait attendre le suivant cinquante-sept minutes. Nous allons donc nous y rendre en tandem. Enfilez ce casque, et coincez votre pantalon dans vos chaussettes.

Théodore lança à l'inspecteur un casque de chantier vert tout éraflé. Celui-ci le regarda d'un œil peu convaincu.

— Le vert, ça n'est pas vraiment ma couleur, marmonna-t-il à Théodore qui accrochait son casque d'un beau noir bien plus séduisant.

— Ah oui, répliqua Théodore, qui avait tout à fait compris où l'inspecteur voulait en venir et qui avait décidé de l'ignorer. C'est une couleur qui ne va pas à grand monde.

Il n'y a rien de pire que de devoir porter quelque chose qu'on n'aime pas, et l'inspecteur était très inquiet à l'idée qu'une certaine gouvernante l'aperçoive coiffé de l'horrible casque vert.

— On ne passe pas du côté de votre corde à linge, n'est-ce pas, Lebon ? demanda-t-il en jetant des regards anxieux autour de lui.

Théodore se contenta de lever un sourcil. S'il avait été le genre d'homme frivole et romantique qui aime jouer les entremetteurs, les choses se seraient peut-être déroulées différemment. Mais ce n'était pas le cas. C'était un détective, très célèbre et très sérieux de surcroît. Il regarda l'inspecteur droit dans les yeux et lui dit:

— Le Musée national, inspecteur. Le temps presse.

— Chuuuuut! chuchota Wilma à Pétrin tandis qu'ils entraient à pas de loup par la porte de la cuisine de Mme Ronchard. Il ne faut surtout pas la réveiller!

Affalée dans un fauteuil, rassasiée par les deux petits pains de son casse-croûte matinal, Mme Ronchard ronflait comme un sonneur. Wilma devait à tout prix se rendre au musée aussi vite que possible. Mais comment?

Bien que toujours déterminée à voir le bon côté des choses, Wilma avait vite compris que la vie à la résidence Ronchard n'était pas vraiment sa tasse de thé. Il y avait tout d'abord l'horrible cave malodorante; ensuite, la maison elle-même, poussiéreuse, sombre et menaçante; et pour finir, l'étrange façon qu'avait Mme Ronchard de lui donner ses instructions de la journée. Chaque matin, une lettre adressée à Wilma atterrissait sur le paillasson du Donjon Hurlant. Wilma n'avait jamais reçu de courrier de toute sa vie, et en ouvrant la première enveloppe, elle n'avait pas pu s'empêcher d'imaginer qu'elle contenait peut-être quelque chose d'extraordinaire. Peut-être une invitation à aller faire du cerf-volant ou à participer aux championnats annuels de Lantha ? Malheureusement, la lettre provenait de Mme Ronchard et lui énumérait ses corvées de la journée :

Aujourd'hui, tu te chargeras des tâches suivantes :
1. Épiler les poils de mon menton
2. Gratter la corne de mes coudes
3. Extirper les crottes de mes narines
4. Embuer les vitres et encrasser le sol
5. Couper du bois (mais ne JAMAIS allumer un feu)
6. Aiguiser les couteaux (au cas où je me ferais attaquer)

Chaque matin depuis trois jours, une nouvelle lettre arrivait, et chaque matin Wilma se retrouvait avec une liste de besognes aussi abjectes qu'horripilantes. Elle avait vraiment du mal à comprendre que Mme Ronchard soit si mécontente et si contrariante en permanence. Après tout, elle vivait en Haut de l'île, où sa vie aurait dû n'être qu'un incessant feu d'artifice de rayons de soleil ! Pourtant, elle restait enfermée chez elle, dans le noir, à se bâfrer des pires mets que Cooper puisse offrir. Bien sûr, ce que Wilma ignorait, c'est que Mme Ronchard avait d'excellentes raisons d'être aussi acariâtre. Il est de notoriété publique que, quand une demoiselle cesse de se secouer les puces et se laisse pousser la moustache, c'est qu'elle a baissé les bras. La cause en est souvent une cruelle déception amoureuse, qui abandonne les éconduites à une vie aussi morne qu'un cageot d'œufs cassés. Un jour, quelqu'un, quelque part, avait brisé le cœur de Mme Ronchard. Qui ? Pourquoi ? Cela importait peu.

Le seul indice du passé de Mme Ronchard était une grande malle de voyage en cuir qui prenait la poussière dans une des chambres à l'étage. Lors de son deuxième jour au Donjon Hurlant, Wilma avait dû balayer les rognures d'ongles de pied qui jonchaient le sol des chambres. Fidèle à sa réputation de fillette curieuse et déterminée, Wilma avait éprouvé l'irrésistible envie d'ouvrir cette malle.

— Ce n'est pas juste de la curiosité, s'était-elle défendue sous l'œil inquisiteur de Pétrin, c'est pour une enquête. Ça n'a rien à voir.

Au Donjon Hurlant, tout était terne et gris. Quelle ne fut pas sa surprise, alors, en découvrant une quantité de costumes scintillants et flamboyants entassés dans la malle ! Elle y trouva aussi une affiche de cirque collée au couvercle, et nota mentalement qu'il lui faudrait repenser à tout cela le jour où elle serait un vrai détective.

Et ce jour-là, lorsque ce souvenir lui revint en mémoire, Wilma sut soudain comment elle pourrait se rendre au musée.

Chaque année depuis sa construction, le Musée national de Cooper remportait le prix de l'édifice le plus épatant de l'île. Théodore et l'inspecteur Lecitron se laissèrent descendre en roue libre le long de l'avenue des Coopériens, qui menait jusqu'à la grande place. Plus vaste qu'un terrain de football, elle était bordée par des rangées de canarbres à sucre que les visiteurs du musée venaient lécher par centaines. Les plus jeunes faisaient la queue pour mâchouiller les branches les plus sucrées. À chaque coin de rue, des vendeurs de Cocktail-Cannes postés sous des arbres coupaient des brindilles poisseuses et les pilaient pour en faire de délicieuses boissons à bulles. À l'extrémité de la place se dressait le musée, une pyramide à six niveaux qui contenait tous les trésors de Cooper. Lorsque les deux hommes s'arrêtèrent, l'inspecteur Lecitron ressentit un intense soulagement. Il descendit du tandem et s'appuya d'une main contre le mur du musée.

— Lebon, je suis épuisé, souffla-t-il.

— Mais c'était en pente tout du long, s'étonna Théodore en sautant du vélo avec élégance. Ce que vous ressentez n'est pas de l'épuisement, mais le vertige que provoque une descente à grande vitesse. Ne vous inquiétez pas, on les confond souvent.

L'inspecteur Lecitron s'essuya le front pour la deuxième fois de la journée, et suivit des yeux Théodore qui se dirigeait vers l'entrée du musée.

— Non, marmonna-t-il dans sa barbe, c'est de l'épuisement, et puis c'est tout.

Il y aura toujours des personnes naturellement plus sportives que d'autres. Vous voyez de qui je parle : ces gens qui trottent sans jamais trébucher et flottent sans jamais flancher, ceux qui savent viser et lancer des objets sans provoquer rires et quolibets. L'inspecteur Lecitron n'était pas de ceux-là, et apparemment Wilma non plus. Chaussée d'une paire de patins à roulettes empruntés à la malle de Mme Ronchard, elle était parvenue, rien que sur le chemin du musée, à renverser trois boîtes aux lettres, une poubelle et Susan, une fillette de cinq ans. Elle était aussi à l'aise qu'un bébé flamant rose sur une patinoire. Essoufflée, haletante, Wilma finit par s'écraser devant la grande place, avec sur ses talons un Pétrin bondissant les oreilles au vent.

La place était bondée. Le vol de la pierre de Kastoran avait fait la une des journaux de l'après-midi, et les habitants avaient accouru des quatre coins de l'île afin de voir la vitrine d'exposition vide. Là, ils pouvaient secouer la tête et s'exclamer en chœur : « C'est tellement dommage... » et « Quelle horreur ! » Quoi qu'on en dise, personne ne résiste à l'attrait du sensationnel, et encore moins à une palpitante affaire de vol.

— Désolée ! s'écria Wilma après avoir presque renversé toute une famille originaire de Vers-Là-Bas, petit hameau à l'ouest du Haut.

— Excusez-moi ! s'exclama-t-elle encore lorsqu'elle roula sur l'orteil d'une femme de Plus-En-Dessous, une bourgade du Sud.

Dans tous les pays, on charge quelqu'un de choisir le nom de chaque endroit. En Grande-Bretagne, par exemple, c'est Grégory Tullerouge qui a dû tout inventer. C'était un homme très doué qui a trouvé des noms de ville formidables, comme Plymouth ou Ipswich. Malheureusement pour Cooper, Brian, leur baptiseur de villes, était un homme paresseux dénué de la moindre imagination. Les villages de Cooper se sont donc retrouvés avec des noms affreux, comme Quandestcequonmange ?, Saint-Plait et Beeuurk.

Une fois arrivée, Wilma se mit à la recherche du détective et regarda fébrilement tout autour d'elle, mais en vain. Elle s'approcha des portes du musée et finit par apercevoir un officier de police corpulent qui traversait la place à grand renfort de halètements.

— Inspecteur Lecitron ! cria Wilma.

Mais alors qu'elle s'élançait à sa poursuite, une main la saisit par le col.

— Le patin à roulettes est interdit sur la place, dit une voix rauque.

Elle appartenait à un homme en uniforme à l'air peu commode.

— Lâchez-moi ! protesta Wilma en gigotant pour se libérer. Je dois me rendre au musée. La pierre de Kastoran a…

— Pas de patins ! Et la queue pour le musée commence là-bas, ajouta le gardien en faisant un signe de tête vers une file de personnes qui serpentait depuis l'entrée. À partir de ce point-là (il lui indiqua le bout de la file, si loin que Wilma n'arrivait même pas à la voir), il y a quatre heures d'attente.

— Mais vous ne comprenez pas ! cria Wilma. Il faut que j'y entre tout de suite ! J'aide Théodore P. Lebon à résoudre une affaire de la plus haute importance.

— Toi ? aider Théodore P. Lebon ? s'esclaffa le gardien en lorgnant la fillette du Bas. Ça m'étonnerait. Et même si c'était le cas, tu n'irais nulle part avec ces patins aux pieds.

— Bon, d'accord ! dit Wilma, levant les mains en signe de défaite. Je vais les retirer. Mais croyez-moi, M. Lebon entendra parler de cette histoire, ajouta-t-elle en lui jetant un regard sévère. Vous m'empêchez de me livrer à toutes sortes de contemplations et de déductions.

Elle défit ses patins puis se dirigea vers l'entrée.

— La file commence de l'autre côté, gronda le gardien.

— Je sais, répliqua Wilma.

Surveillant l'homme du coin de l'œil, elle fit demi-tour et prit dignement la direction de l'avenue des Coopériens, Pétrin sur ses talons.

Au premier canarbre à sucre qu'elle croisa, Wilma saisit son chien par le collier et se jeta derrière le tronc. Feignant de mâchonner l'écorce sucrée, elle jeta un coup d'œil derrière l'arbre afin de voir si le gardien les observait toujours. Mais la chance était de son côté : un groupe d'opticiens en voyage d'affaires venaient de se rendre compte qu'ils se tenaient dans la mauvaise file depuis plus d'une heure. À la recherche d'un bouc émissaire, ils avaient encerclé le gardien et agitaient tous le poing en l'air avec rage. Furieux, l'un des opticiens fit tomber le képi du gardien, ce qui provoqua une réaction en chaîne dont je vous épargnerai les détails. Laissez-moi juste vous dire que ce n'était pas joli-joli. Le cœur de Wilma se mit à battre la chamade. C'était maintenant qu'elle devait pénétrer dans le musée !

— Mais comment vais-je faire ? gémit-elle. La queue va durer une éternité !

Pétrin lui donna un coup de truffe et renifla doucement en direction d'une calèche qui venait d'arriver sur la place.

— Mais bien sûr ! s'exclama Wilma. On leur livre un crâne de tyrannosaure aujourd'hui, je l'ai lu dans le journal de Mme Ronchard ! On n'a qu'à s'approcher discrètement, grimper dans le crâne et rentrer avec lui dans le musée ! Pétrin, tu es un génie !

Dans d'autres circonstances, Pétrin aurait été terriblement embarrassé par ce compliment. Mais là, il reconnut que voyager à l'intérieur d'un os gigantesque était probablement la meilleure idée qu'il eût jamais eue.

10. Un indice terriblement appétissant

Le capitaine Brock faisait les cent pas au bout de la galerie.

— Ça n'a ni queue ni tête, Lebon. J'ai vu la pierre de mes propres yeux au bureau du réceptionnaire. Je suis resté avec elle tout le long et, arrivé à la gare, elle avait disparu. C'est forcément Jérémy Burlingue le coupable.

Le conservateur hocha la tête.

— Mais comment a-t-il procédé ? reprit le capitaine. Et, plus important, où est le diamant ?

— Burlingue jure par tous les saints qu'il n'a rien à voir avec cette affaire, haleta l'inspecteur Lecitron. Nous avons fouillé son bureau et son domicile de fond en comble, et nous n'avons rien trouvé. Seules deux autres personnes possédaient un passe pour pénétrer dans la chambre forte : le capitaine Brock et Alan Kastoran.

— C'est un désastre pour le musée, monsieur Lebon,

s'exclama le conservateur en tapant violemment sur le sol avec sa canne. Un véritable désastre !

La moustache de Théodore tressauta et il se mit à réfléchir. Ils se tenaient tous dans la galerie Arlequin, au cinquième étage du musée. C'était une pièce ronde, sans fenêtres, mais dans l'obscurité, trois vitrines d'exposition renfermant les plus grands trésors de Cooper étaient illuminées. Dans la vitrine à la gauche de Théodore trônait un énorme œuf doré. Dans celle de droite, un antique jeu de Lantha, avec un plateau en albâtre aux cases finement sculptées, des pions bleu azur et un dé à cinq faces. Au centre de la pièce, la vitrine où aurait dû se trouver la pierre de Kastoran était vide. Théodore se pencha pour l'examiner.

— La convoitise, commença-t-il, est une tentation destructrice.

— Ce n'est rien de le dire, approuva solennellement le conservateur. Ses charmes peuvent faire tourner la tête aux meilleurs d'entre nous.

— Et chacun sait que l'homme ne peut résister au charme, c'est bien sa plus grande faiblesse, ajouta une voix.

Une très belle femme vêtue de noir se dirigeait vers eux d'un pas léger. Ses cheveux bruns étaient rassemblés en un chignon serré, une mèche rebelle bouclant le long de sa joue. Ses yeux marron foncé lui donnaient un regard de braise sous sa longue frange et ses lèvres étaient rouges comme des tomates.

— Ah, miss Mascara, vous voilà ! s'exclama le conservateur. Il ne me semble pas que vous vous soyez déjà rencontrés. Théodore, je vous présente ma nouvelle assistante, elle a commencé la semaine dernière.

— Quel fâcheux moment pour rejoindre l'équipe du musée, miss Mascara, commenta le détective, la main tendue. Théodore P. Lebon. Ravi de faire votre connaissance.

Miss Mascara enroula ses doigts autour de la main du détective, ses ongles écarlates jetant des éclairs à la lumière des vitrines.

— Nul besoin de vous présenter, monsieur Lebon, ronronna-t-elle en observant Théodore d'un regard amusé. Votre réputation vous précède.

— Je suis Lecitron, intervint l'inspecteur qui tendit la main vers miss Mascara. Je veux dire, je suis l'inspecteur. L'inspecteur Lecitron. Pas un vrai citron, bien sûr. Voilà. C'est moi.

Ignorant sa main, miss Mascara dévisagea l'inspecteur de ses doux yeux marron et elle esquissa un sourire contrit.

— Bien, monsieur le conservateur, reprit Théodore sans se préoccuper de son ami, je voudrais voir la boîte dans laquelle la pierre de Kastoran était rangée.

— C'est moi qui l'ai, dit le capitaine Brock en lui tendant le récipient argenté. Je l'examine depuis des heures, mais je n'ai pas trouvé de compartiment secret. Rien.

— Intéressant, murmura Théodore. Mmm. Une légère odeur. C'est bien ce que je pensais. Capitaine Brock, êtes-vous certain que vous avez vu la pierre de Kastoran à l'intérieur de cette boîte ?

— Si un autre homme que vous me posait cette question, je le terrasserais sur-le-champ ! fulmina le capitaine Brock, tout hérissé. Quand je dis que j'ai vu quelque chose, c'est que je l'ai vu, voyons ! Suggérer le contraire est une insulte !

— Pardonnez-moi, capitaine Brock, dit Théodore avec une petite courbette. J'aurais dû formuler ma phrase avec plus de soin. Je ne doute pas une seconde que vous ayez vu ce que vous pensiez être la pierre de Kastoran. Mais voilà ma question : êtes-vous certain qu'il s'agissait de la vraie pierre de Kastoran ?

Le capitaine Brock le fixa d'un air plus interdit qu'une route à sens unique.

— Où est-ce que vous voulez en venir, Lebon ? demanda le conservateur, les deux mains sur le pommeau de sa canne.

— Ce que je veux dire, monsieur le conservateur, c'est que la pierre qui a été transportée jusqu'au musée sous la surveillance du capitaine Brock était probablement une contrefaçon. La véritable pierre de Kastoran avait déjà disparu.

— Et qu'est-ce qui vous fait dire ça, Lebon ? demanda l'inspecteur, forcé de s'éponger une nouvelle fois le front sous l'effet de la réflexion.

— Selon moi, si la véritable pierre de Kastoran s'était

trouvée dans sa boîte lors de son départ, Alan Kastoran et sa tante seraient toujours en vie. Il fallait qu'ils soient hors d'état de nuire pour accéder au diamant. L'homme qui a dérobé le diamant était habillé exactement comme Alan, il a donc eu besoin de ses vêtements et de son passe pour la chambre forte, c'est pourquoi il l'a assassiné. J'en mettrais ma pipe à couper.

— Mais alors, où est passée la pierre que j'ai vue, moi ? s'écria le capitaine Brock en se tapotant la poitrine d'un doigt furieux. Où ?

— C'est simple, capitaine Brock, répondit Théodore en sortant un mouchoir de sa poche d'un geste théâtral. Le faux diamant qui se trouvait dans cette boîte était fait pour se désintégrer. D'ailleurs, ajouta-t-il tandis qu'il attrapait quelque chose au fond, en voici la preuve.

Le conservateur, le capitaine Brock et l'inspecteur se penchèrent pour mieux voir. Pris dans les plis du mouchoir de Théodore scintillait un éclat.

— Ça par exemple ! s'exclama l'inspecteur Lecitron. Vous nous avez encore tous pris de vitesse, Lebon !

— Qu'est-ce qu'il a pris ? interrogea une petite voix derrière eux. J'ai raté quelque chose ? Mais bon, ce n'est pas grave, continuez comme si je n'étais pas là.

Tous se retournèrent. Derrière eux, Wilma leur fit un signe de la main en souriant.

— Ce n'est que moi. Je me suis cachée dans un énorme crâne de dinosaure pour entrer. C'était un peu étroit,

mais lui, il a adoré, ajouta-t-elle en désignant Pétrin qui se pourléchait les babines.

— Non, non, non, dit Théodore d'un air désapprobateur. C'est inadmissible. Wilma, est-ce que Mme Ronchard sait que tu es là ?

— Si je vous disais « pas vraiment », ce serait embêtant ? demanda Wilma en triturant l'ourlet de son tablier.

Le détective la dévisagea d'un air si sérieux que Wilma comprit tout de suite qu'elle venait de s'attirer des ennuis plus gros qu'elle.

— Il faudra que je te raccompagne chez toi quand j'aurai fini, dit-il. Pour l'instant, tu peux rester à côté de l'inspecteur Lecitron, mais je ne veux pas t'entendre. Compris ?

Wilma acquiesça et sourit à l'inspecteur. Le capitaine Brock s'était emparé du mouchoir de Théodore et regardait le fragment à la lumière. Lorsqu'elle le vit, Wilma laissa échapper une exclamation.

— On dirait un rayon de soleil !

— Attention, Wilma, pas un bruit ! la réprimanda l'inspecteur, un doigt sur les lèvres.

— Qu'est-ce que c'est, Lebon ? demanda le capitaine, les yeux plissés. Et comment cela a-t-il pu se détruire tout seul ?

— Regardez dans la boîte, capitaine, dit le détective. Il y a un petit trou sur un des côtés. Peut-être qu'au moment où le couvercle s'est refermé sur le faux diamant, un agent désintégrant est passé par ce trou pour le faire fondre. Je suis personnellement convaincu que cette fausse pierre de Kastoran n'était rien de plus que du sucre coloré. Dès la fermeture, un gaz ou bien un liquide a pu se charger de la faire disparaître.

— Diaboliquement simple, commenta miss Mascara avec un petit sourire.

— Alors la personne qui l'a volée, intervint Wilma, les yeux écarquillés, a dû échanger les deux pierres ! Ou échanger les boîtes ! Comme dans ce tour de magie quand vous avez résolu l'énigme des boutons disparus, je l'ai quelque part sur mon Porte-Indices...

— Chuuuut, Wilma, chuchota l'inspecteur en lui donnant un petit coup de coude.

— Laissez, inspecteur, elle n'a pas tort, reconnut Théodore. Elle est juste un peu surexcitée... Nous rechercherons donc une personne avec une extraordinaire maîtrise des tours de passe-passe.

— Mais pourquoi le remplacer par une pierre qui disparaît ? demanda le conservateur, qui gardait un œil sur Wilma.

— Il nous reste cet éclat. Et heureusement que nous avons cet indice : en l'analysant, je pourrai établir sa composition exacte, et découvrir ensuite qui l'a fabriqué. De toute évidence, la personne qui en avait besoin voulait quelque chose qui ne laisse aucune trace, mais qui lui fasse gagner du temps.

— Et la véritable pierre de Kastoran, monsieur Lebon ? s'écria le conservateur en donnant un coup de canne par terre. C'est bien joli d'élaborer vos petites théories, mais le plus précieux diamant jamais découvert a disparu. Et j'exige de savoir ce que vous comptez faire à ce sujet !

Il fit un pas en avant mais se prit le pied dans l'angle d'une des vitrines, dérapa et tomba sur le capitaine Brock. Le fragment étincelant, le seul indice du détective, s'envola dans les airs et retomba dans l'obscurité de la galerie. Impossible de savoir où il avait atterri.

— Nous devons retrouver cet éclat ! cria Théodore. Déplacez-vous avec la plus grande prudence.

Wilma était au comble du ravissement. Si elle s'y prenait correctement, elle allait peut-être pouvoir aider son héros dans une enquête. Elle se tourna vers Pétrin et chuchota :

— Allez, du flair. Il faut qu'on le retrouve !

— Il n'est pas par ici ! cria l'inspecteur.

— Je n'y vois rien ! hurla le capitaine Brock. Lumière ! Il nous faut de la lumière !

Wilma avait toujours ses patins accrochés autour du cou et se souvint soudain de quelque chose.

— Quand monsieur Lebon a résolu l'énigme de l'allumette éteinte, murmura-t-elle à Pétrin, il a réussi à trouver une poignée de porte argentée en réfléchissant la lumière avec sa loupe. La lumière attire toujours la lumière !

Sur ces mots, elle prit ses patins à la main et les tint

devant elle. Au début, elle ne vit rien, puis soudain, alors qu'elle les agitait à sa gauche, il lui sembla entrevoir une imperceptible lueur. Wilma fit signe à Pétrin, qui alla renifler dans la direction indiquée avant d'émettre un jappement approbateur. Encouragée, Wilma se mit à quatre pattes et tendit la main dans l'obscurité entre deux vitrines. À tâtons, elle finit par sentir quelque chose de dur et froid. Elle se releva d'un bond.

— Je l'ai ! hurla-t-elle. Regardez, je l'ai trouvé !

Wilma examina le fragment au bout de son doigt et se passa la langue sur les lèvres.

— On dirait vraiment du caramel… Je ne vois pas pourquoi on devrait s'embêter à le rapporter chez M. Lebon. Moi, je vais le manger, et comme ça, je vous dirai tout de suite ce que c'est !

Les yeux fermés, elle ouvrit alors la bouche, mais à ce moment même, une main lui arracha le fragment des doigts.

— Non, Wilma ! cria Théodore. Il est peut-être empoisonné !

— Mais vous avez dit que ce n'était que du sucre, bégaya Wilma, tremblante.

— Du sucre, sans doute, mais il a pu être trempé dans un produit chimique, répondit sévèrement Théodore. D'ailleurs, je ne comprends pas pourquoi, s'il était censé disparaître totalement. Peut-être une question de garantie… Mais tiens, sens-le.

Il lui tendit le fragment. Wilma se pencha pour renifler. Une forte odeur chimique lui envahit les narines et elle eut un mouvement de recul.

C'en fut trop pour le conservateur.

— La pierre de Kastoran disparue, deux personnes assassinées, et une fillette qui manque de se faire empoisonner. Quel genre d'individu serait assez odieux pour commettre de tels actes ?

Théodore contempla la vitrine vide.

— Je l'ignore, monsieur le conservateur. Mais je vais le découvrir.

— Moi, je suis sûre que c'est quelqu'un de très, très mal élevé, décida Wilma en secouant la tête.

Une déduction qui mit tout le monde d'accord.

11. Le plan diabolique et génial de Barbu d'Anvers

Barbu d'Anvers était vraiment, vraiment très méchant. Petit, toujours vêtu d'un costume brun-roux et d'un gilet doré, il avait le cœur plus noir que l'enfer. Si vous habitiez à côté de chez lui, vous n'auriez plus qu'une idée en tête : déménager. Il n'avait pas d'amis et ne recevait jamais de carte d'anniversaire. Tous ceux qui le rencontraient le haïssaient instantanément − même les bonnes sœurs. Et pourtant, les bonnes sœurs sont obligées d'aimer tout le monde, c'est vous dire à quel point il était méchant. Comme tous les méchants, Barbu habitait dans un repaire maléfique. Et comme tout bon repaire maléfique, celui de Barbu était situé au sommet d'un rocher escarpé, la Pointe des Gredins, qui surgissait de terre comme le pouce d'un auto-stoppeur. Quand on a l'intention de vouer sa vie au crime, on doit garder en tête une règle d'or : tout est question d'emplacement.

Barbu le savait, et de tous les Affreux Criminels de l'île, c'était lui qui possédait le meilleur emplacement. De là, il pouvait concocter en paix tous ses affreux méfaits. Perchée sur son rocher, la maison de Barbu faisait penser à un corbeau noir prêt à fondre sur les promeneurs afin de leur arracher les yeux. Mais avant même de pouvoir approcher, il fallait traverser le pont Tâtons, une étroite passerelle en équilibre précaire. Vous l'aurez deviné, Barbu ne recevait pas beaucoup de visites.

Ce jour-là, ayant eu vent des malheurs de l'île, Barbu faisait les cent pas dans son bureau. Il arpentait la pièce en riant aux éclats et Tully, qui avait écopé de la triste fonction de bras droit attitré de Barbu, s'efforçait de rire aussi.

— Tully, s'esclaffa Barbu, est-ce que tu connais un criminel plus terriblement génial que Barbu d'Anvers ?

— C'est encore une question piège ? s'inquiéta Tully qui cherchait un cigare au maïs dans son pardessus. Euh… je ne suis pas trop sûr… Mettons oui ?

Il plongea au sol une seconde trop tard : Barbu s'était retourné en un clin d'œil pour lui jeter une statuette en marbre qui rebondit sur son crâne.

— Non, Tully ! La réponse est non ! hurla Barbu. Barbu d'Anvers ! Le plus diabolique, le plus vil, le plus méchant des génies que cette île ait jamais connus, c'est lui ! Enfin, moi !

Tully frotta la bosse qui poussait au-dessus de son oreille gauche, tandis que Barbu se laissait tomber dans une chaise longue violette.

— Parfois, soupira-t-il en posant la main sur son front, c'est un terrible fardeau d'être si génial. C'est même tout à fait éreintant.

— Vous voulez que je vous serve un petit verre, monsieur Barbu ? proposa Tully, à court d'idées.

— Un petit verre ? cracha Barbu en se redressant brutalement. Un PETIT verre ? Qu'est-ce que tu insinues par là ? Que je suis petit ?

— Non, monsieur Barbu, s'empressa de protester son idiot d'acolyte. Vous ? Petit ? Ha ha ha ha ha ! Et puis quoi encore ?

— Hum, fit Barbu, les yeux plissés. Dans ce cas-là, oui, je veux bien. Maintenant, relis-moi le plan diabolique que je t'ai dicté tout à l'heure.

Tully ficha son cigare au coin de ses lèvres et sortit un calepin tout abîmé de sa poche. Il s'éclaircit légèrement la gorge et se mit à lire à voix haute.

MON PLAN DIABOLIQUE
ET GÉNIAL
PAR M. BARBU D'ANVERS

1. Découvrir qui a volé la pierre de Kastoran.
2. Tuer cette personne.
3. Voler la pierre.
4. La revendre et, avec l'argent, acheter l'île de Cooper.
5. Rebaptiser l'île de Cooper « l'île de Barbu d'Anvers » et faire de tous les habitants mes esclaves.
6. Acheter des chaussures avec des talonnettes intégrées.

— Ce n'est pas pour des raisons de taille, gronda Barbu en jetant un regard hargneux à Tully. C'est juste que j'aime bien ce genre de chaussures. Elles sont très à la mode.

— Oui, monsieur Barbu, répondit Tully, mal à l'aise. Voilà, c'est la fin de votre plan diabolique et génial.

Barbu n'avait qu'une seule passion dans sa vie : l'argent. Depuis des années déjà, il faisait partie de la fraternité des Affreux Criminels de l'île. Il s'était fixé pour objectif d'accumuler autant de richesses que possible afin de réaliser un jour son but ultime : acheter et contrôler l'île de Cooper tout entière. Si vous êtes de ceux qui attendent immanquablement que le petit bonhomme soit vert pour traverser la route, vous serez peut-être choqués d'apprendre que Barbu parvenait toujours à échapper aux forces de l'ordre. En effet, il était si sournois qu'il trouvait à chaque fois le moyen de faire porter le chapeau à un criminel de moindre envergure. Il restait donc en cavale, libre comme l'air. Pour Théodore P. Lebon ainsi que pour tous les honnêtes citoyens de Cooper, c'était une situation très agaçante, mais bon, c'était comme ça. Barbu était la bête noire de Cooper, et il n'avait aucune intention de changer : il adorait ça.

Barbu bondit hors de sa chaise longue et s'exclama avec enthousiasme :

— Ah ! je ne me suis pas senti aussi excité depuis la fois où j'ai détourné le fonds Veuve-et-Orphelin de Cooper ! Ah, tout cet argent que j'ai volé au nez et à la barbe de cet idiot de Théodore P. Lebon… Il n'a rien pu faire, rien du tout ! Je suis tellement génial et tellement diabolique ! Viens à l'ombre de ma gloire, Tully. Allez, viens !

— Oui, chef, dit Tully en s'approchant jusqu'à dominer son minuscule maître.

— Non, tu es trop près, grinça Barbu, qui ne voyait plus que les poils des narines de son acolyte. Va donc à l'ombre un peu plus loin. Bien, il nous faut maintenant nous occuper du point numéro un de mon plan diabolique et génial. Qui a volé la pierre de Kastoran ?

Il ferma les yeux et réfléchit longuement. Tully, lui, resta immobile. Sa consigne, c'était d'être à l'ombre de la gloire de son maître, pas de réfléchir.

— Intéressant ! déclara enfin Barbu en ouvrant les yeux. Je viens d'élaborer une théorie ainsi qu'un stratagème. Vite, le tableau !

Il traversa rapidement la pièce jusqu'à un énorme tableau noir, prit un morceau de craie et nota.

UN HOMME DÉCOUVRE LE PLUS GROS DIAMANT AYANT JAMAIS EXISTÉ. CET HOMME EST ASSASSINÉ. POURQUOI L'A-T-ON ASSASSINÉ ? PARCE QU'IL ÉTAIT DE TROP. C'EST LE B-A BA DU CRIMINEL. MAIS QUI EST L'ASSASSIN ? PAS MOI, JE N'AI RIEN FAIT.

Barbu souligna ce dernier point trois fois.

— Avec certitude, je peux donc m'éliminer de la liste des suspects. Tully, barre mon nom de la liste.

Tully prit une nouvelle page dans son calepin et se mit à écrire avec application. Barbu reprit sa marche et sa réflexion.

— Mais qu'a fait ce tueur-voleur après ça ? Voilà la vraie question. Tu veux bien me passer le *Lève-Tôt* d'hier matin ?

Tully attrapa le journal de la matinée le plus populaire de l'île et le tendit à son maître.

— « *Horreur et fureur chez les pêcheurs : trop loin des quais, la nouvelle chambre froide soulève un débat brûlant* », non, ce n'est pas ça... « *Crise des croustilles contaminées : contagion chez les Coopériens* », non plus... Ah, voilà : « *Vol révoltant de la pierre de Kastoran* »... Bla bla bla... « *Les autorités du musée ont fait venir le plus prestigieux détective de l'île, Théodore P. Lebon...* » Mon vieil ennemi ! Voilà qui va ajouter un peu de piment. Mais rien d'inquiétant : contre moi, il ne peut rien. « *L'enquête sur le vol révèle que les apparences sont trompeuses car rien n'est aussi simple qu'on le croyait. Une source proche du détective nous a confié ces déclarations : "On ne sait pas encore comment, mais quelqu'un a réussi à échanger la vraie pierre de Kastoran contre une imitation qui a fondu pendant qu'on la transportait au musée. Mon chien m'a aidée à en retrouver un morceau, mais moi, j'ai failli mourir. C'était génial..."* » Intéressant... Tully, trouve-moi le PRECI, veux-tu ? Il faut consulter nos amis les faussaires.

Le PRECI ou, comme vous le savez sans doute, Principal Répertoire des Escrocs et Criminels de l'Île, était une sorte d'annuaire téléphonique des méchants, où l'on pouvait trouver tous ceux qui avaient un jour trempé dans la magouille ou l'escroquerie. Malheureusement pour Cooper, c'était un très gros livre. Tully tendit l'ouvrage rouge sang à son maître qui se mit à le feuilleter.

— Bien, bien, bien, F comme faussaire. Regardons ça. F, F, F ! Fabricant de coffre-faible... Fabricant de documents presque officiels... Faussaire ! Alors, voyons voir : Faux doigts et orteils, Faux implants − « *Nous pouvons vous faire grandir de...* » Grands dieux ! tant que ça ? Eh bien, je vais noter ça quelque part. Pas pour moi, bien sûr. Pour un ami. Un ami qui a des petites jambes. Pas pour moi. Moi, je ne suis pas petit.

Tully s'efforça de regarder droit devant lui sans rien dire.

— Faux légumes, Faux organismes, Fausses pierres ! Ah ah ! triompha Barbu en tapotant la page. Nous l'avons, Tully ! Alors, voyons voir qui est inscrit là-dedans... Olivier Dutilleul ? C'est bien ma veine, ce PRECI n'a pas l'air très à jour.

— Pourquoi vous dites ça, monsieur Barbu ? s'enquit Tully, perplexe.

— Parce que j'ai moi-même supprimé Olivier Dutilleul il y a six mois. Je l'ai enduit de confiture et je l'ai jeté dans un nid de frelons.

— Ooooh, ça, ce n'est pas très gentil, souffla Tully.

— C'est vrai. Mais au moins, ça c'est une fin qui ne manque pas de piquant. Ha ha ha ha ! Tu as compris ? Piquant ?

Mais Tully n'avait pas compris, parce que les brutes ne possèdent pas le gène du sens de l'humour. Il se contenta donc de rester immobile en espérant que son minuscule maître ne se rendrait compte de rien.

— Suivant. Visser Haanstra. Mmm. Je me souviens de lui. Je l'ai employé une fois, il y a cinq ans. Plutôt prometteur. Il faut qu'on se mette au travail, Tully, immédiatement.

Barbu se redressa et jeta le PRECI à la figure de son sbire pour marquer le coup.

— Compris ? hurla-t-il.

Tully acquiesça et se frotta le crâne pour la deuxième fois de la journée. Parfois, travailler pour un méchant était une tâche très ingrate.

12. Un crime, c'est comme une devinette

Mme Frisquet était à court de croustilles sucrées. Si elle avait dû présenter une conférence traitant des situations d'urgence, elle aurait projeté l'image d'une assiette vide sur un écran. Puis elle l'aurait désignée d'une baguette et aurait décrit ce type de situation comme « critique », voire « dramatique ». Mais Mme Frisquet n'était qu'une gouvernante, seule dans sa cuisine. Et elle venait de se rendre compte qu'il ne restait plus un seul des biscuits préférés de Théodore P. Lebon quelques minutes à peine avant le thé du matin. Ce qui était un peu comme de s'apercevoir qu'on a oublié de mettre des chaussettes alors qu'on est au milieu de l'ascension de l'Everest.

Mme Frisquet jeta un coup d'œil à sa montre en laine. D'après ses estimations, il lui restait quinze minutes et trente-quatre secondes avant l'heure du thé à la menthe.

Ça allait être juste. Et comme un malheur n'arrive jamais seul, M. Patachou, le meilleur pâtissier de l'île, avait fermé boutique pour la journée (il assistait à un séminaire sur les profiteroles). À contrecœur, Mme Frisquet dut reconnaître que si elle voulait que son employeur déguste ses biscuits favoris, elle n'avait plus qu'une seule solution.

Wilma n'avait pas très bien dormi. Le matelas sur lequel Pétrin et elle devaient se pelotonner était situé juste au-dessous d'un énorme tuyau rouillé qui gargouillait toute la nuit. En fait, ce soir-là, Wilma avait été beaucoup trop excitée pour s'endormir. Les événements de la veille étaient si palpitants que, toute la nuit, des histoires de diamants volés, de suspects et de sucre s'étaient bousculées dans sa tête. Elle en était maintenant certaine : elle devait trouver le moyen de devenir l'apprentie de Théodore P. Lebon.

Pour son casse-croûte de la matinée, Mme Ronchard lui commanda des gâteaux céréales-pommes-de-terre-foie. Perchée sur un tabouret, incorporant des gros bouts de foie à un mélange bouillonnant de céréales et de pommes de terre, Wilma eut soudain une idée. Elle en fit part à Pétrin, qui bavait devant la casserole :

— Tu sais, si je résous cette affaire de diamant à moi toute seule, je suis sûre que M. Lebon voudra bien que je devienne son apprentie. Qu'est-ce que tu en penses ? Comme ça, un jour, il pourra m'aider à déductionner d'où je viens...

Pétrin ne répondit pas, bien trop fasciné par un énorme morceau de foie qui menaçait de tomber de la cuillère en bois de Wilma. Hélas, alors qu'il allait s'écraser par terre, on frappa trois fois à la porte d'entrée. Wilma reposa la cuillère dans la casserole et se précipita pour ouvrir.

— Ah, c'est toi, dit Mme Frisquet.

Mal à l'aise à la vue de Wilma, elle se mit à danser d'un pied sur l'autre dans ses bottes en laine.

— Pour faire court, il ne me reste plus de croustilles sucrées. Et c'est presque l'heure du thé de M. Lebon. Donc je me demandais si, peut-être, Mme Ronchard...

— ... pouvait vous en donner ? interrompit Wilma, voyant là une opportunité inespérée. Je vais regarder dans son baril à biscuits, et puis je vous les apporterai. J'arrive tout de suite.

Et elle claqua la porte au nez de Mme Frisquet.

Elle se rua à la cuisine, où elle versa dans un bol sa mixture céréales-pommes-de-terre-foie à moitié finie. Puis elle cala le bord du récipient dans la gueule de son chien.

— Vite, Pétrin ! s'écria-t-elle. Va donner ça à Mme Ronchard, moi je pars à la recherche des croustilles sucrées.

Wilma courut jusqu'au garde-manger de Mme Ronchard. C'était une petite pièce poussiéreuse dont les murs étaient recouverts d'étagères du sol au plafond. Sur les plus hautes, les gros bocaux de langues au vinaigre et de pieds de cochon au sirop étaient là depuis si longtemps qu'ils en étaient noirs de crasse. Un peu plus bas, on trouvait des conserves d'yeux de mouton et de griffes d'oiseau, des sachets de sauterelles séchées et des boîtes de fourmis enrobées de chocolat. Dans le coin siégeait un gros tonneau en bois sur lequel était gravé le mot « Gâto ». Wilma repoussa le lourd couvercle et regarda anxieusement à l'intérieur. Elle crut tout d'abord qu'il était vide, mais lorsqu'elle poussa encore un peu le couvercle, elle aperçut, tout au fond, une toute dernière croustille sucrée.

Mme Frisquet se tenait debout devant son plateau à thé. La théière fumait, mais l'assiette vide la dévisageait d'un air moqueur. Cela n'allait pas du tout. Elle regarda de nouveau sa montre en laine. Trois secondes avant l'heure du thé à la menthe, deux, une. À l'instant même où l'aiguille des secondes atteignait la petite théière dessinée sur le cadran, Théodore P. Lebon fit son entrée. Il traversa rapidement la cuisine.

— Bonjour, madame Frisquet. Je prendrai le thé dans mon bureau, merci.

— Tout de suite, monsieur Lebon, répondit Mme Frisquet en soulevant son plateau. Mais il faut que je vous dise…

— Je serai dans le bureau, moi aussi, intervint Wilma qui traversa la cuisine d'un pas désinvolte.

— Une petite minute, jeune fille, protesta la gouvernante.

Wilma se retourna et lui montra la croustille sucrée.

— Ne vous en faites pas, madame Frisquet. Je ne suis pas venue les mains vides.

— Une croustille sucrée ? demanda Théodore, la moustache frémissante. Je suis sûr que Mme Frisquet en a une ribambelle en réserve, mais tout de même, une croustille sucrée, c'est une croustille sucrée.

— Ne jamais partir enquêter le ventre vide, pas vrai, monsieur Lebon ? roucoula Wilma. C'est le petit truc numéro dix, madame Frisquet.

— Ça, par exemple ! s'exclama Mme Frisquet.

Le détective et la fillette se dirigeaient déjà vers le bureau, et la gouvernante les suivit en soufflant bruyamment pour marquer sa désapprobation. Mais Wilma venait de la tirer *in extremis* d'un désastre pâtissier, et bon gré mal gré, elle lui en était reconnaissante.

Pour Wilma, entrer dans le bureau de Théodore P. Lebon était plus fabuleux que Noël multiplié par Noël. Il y avait beaucoup trop de choses à regarder, et elle était tellement surexcitée qu'elle se mit à tournoyer sur elle-même afin de tout voir à la fois.

— Ooooh, s'exclama-t-elle en s'immobilisant brusquement. Je crois que je vais être malade. Vous savez, à l'orphelinat, il y avait un garçon qui s'appelait Michaël Lagneau et qui sentait le chou de Bruxelles. Eh bien, un jour, quand j'avais six ans, il m'a attrapée par les bras pour me faire tourner en l'air à toute vitesse. Je lui ai vomi sur le pied.

— Charmante histoire, grommela Mme Frisquet, les yeux rivés sur la croustille sucrée dans la main de Wilma. Je vais m'occuper du gâteau, si ça ne te dérange pas.

Mais Wilma était bien trop absorbée pour l'entendre, et elle se précipita vers un mur recouvert de schémas, de photos et de punaises.

— C'est quoi, ça? s'enquit-elle, agitant la précieuse croustille sucrée devant le mur.

— Ça, répondit le détective avant de se lever pour se diriger vers le gâteau, c'est mon tableau d'enquête. Tu vois, un crime, c'est comme une devinette. Chaque indice a le pouvoir de te révéler la solution, mais c'est avec tous les indices que tu peux résoudre le problème. Un tableau d'enquête est particulièrement utile dans le cas d'un mystère insondable.

— C'est quoi, « insondable »? demanda Wilma qui sauta sur une chaise à l'instant où le célèbre détective allait attraper son gâteau.

— Eh bien, répondit Théodore, la moustache frémissante, « sonder », en terme nautique, c'est déterminer la profondeur de l'eau. Mais dans ce contexte-là, « sonder » signifie « chercher à comprendre ». Quand tu ne parviens pas à comprendre ce que t'indiquent les preuves que tu as devant toi, ce mystère est donc « insondable ». Cela veut dire que tu n'arrives pas à en trouver la solution.

— Vous utilisez toujours des mots qui veulent dire deux choses à la fois, fit remarquer Wilma. C'est pas facile.

Tout en parlant, la fillette examinait le tableau d'enquête, couvert de notes écrites à la main. Au centre, un petit plan de la chambre forte où la pierre de Kastoran était restée quelques jours. À droite du plan, une photographie du diamant, reliée à deux autres photos par deux longues ficelles. Une des photos montrait Alan Kastoran et sa tante, au bon vieux temps, joyeusement attablés devant une tarte au citron meringuée. La seconde représentait la vitrine vide du musée. Dans la partie inférieure du tableau figurait le titre SUSPECTS en lettres d'imprimerie, au-dessus d'une photo de Jérémy Burlingue avec la légende « *Magicien ?* ». Enfin, sur la gauche du tableau, dans la section marquée MÉTHODE, était accroché un reçu du laboratoire signé Penbert pour « *Un éclat, peut-être en sucre* ».

— Vous n'oubliez jamais de noter les étapes de l'enquête, pas vrai, monsieur Lebon ? C'est le petit truc numéro six.

Wilma se mit à réfléchir intensément à tout ce qu'elle avait devant elle et, plongée dans ses déductions, finit par prendre, par inadvertance, une grosse bouchée de la croustille sucrée.

— Ooooh ! s'écria Mme Frisquet, levant les bras au ciel — enfin, aussi haut que le lui permettait son épais gilet en laine. Eh bien, c'en est trop, ajouta-t-elle en quittant la pièce à grand renfort de bougonnements. Ah, ces gens du Bas, tous les mêmes ! Je n'en reviens pas !

Théodore fronça les sourcils, laissa échapper un léger soupir et se réinstalla à son bureau.

— Bon, ce n'est pas tout ça, mais il faut que je me remette au travail. Cette disparition ne va pas se résoudre toute seule.

Wilma, la bouche pleine de gâteau, se retourna et leva un doigt en l'air.

— Ch'ai fait des tas et des tas de contemplations, et che crois que ch'ai une déduction, annonça-t-elle dans une pluie de miettes. Quand j'ai vu le morceau de faux diamant, la première chose que j'ai remarquée, c'est que ça ressemblait à du caramel, mais ça, je vous l'ai déjà dit. Alors voilà, je pense que la fausse pierre de Kastoran a été fabriquée par quelqu'un qui est très fort pour faire des caramels. Mais pas que des caramels, parce que c'était quand même sacrément malin de le faire fondre alors qu'en plus c'était mortel vu que ça s'est transformé en poison. C'est pas très logique d'ailleurs, parce que quelqu'un qui adore le caramel ne peut pas aussi adorer le poison.

— Eh bien, médita Théodore, ce n'est pas vraiment comme ça que ça fonctionne, mais... bien essayé...

— Ah! reprit Wilma avec un sourire ravi, alors je suis votre apprentie, maintenant?

Elle avala le dernier morceau de croustille. Théodore la dévisagea, mais avant qu'il n'ait pu répondre, on frappa à la porte du bureau. C'était de nouveau Mme Frisquet.

— Excusez-moi de vous déranger, monsieur Lebon. Un télégramme vient d'arriver de la part de l'inspecteur Lecitron.

— Ah, très bien. Merci, madame Frisquet.

Il détacha le cachet qui fermait le télégramme et le lut à voix haute :

— Monsieur Lebon, c'est qui, le docteur Augrenu ?
demanda Wilma.

— Docteur Titus Augrenu. C'est lui qui se charge des
expertises médico-légales sur les cadavres.

— Médi-quoi ?

Théodore P. Lebon, qui était un détective très sérieux,
poussa un soupir d'impatience. Il était plongé dans une
importante affaire de meurtre, et cette minuscule fillette
lui faisait perdre du temps avec ses questions incessantes.
Pire, elle mangeait tous ses gâteaux. Mais même en de
telles circonstances, Théodore n'aimait pas être impoli.
C'est donc avec soulagement qu'il trouva comment se
tirer d'embarras.

— Tiens, dit le détective en tendant à Wilma un petit
dictionnaire qu'il avait attrapé sur sa bibliothèque. Je te
le donne, tu pourras chercher dedans tous les mots que
tu ne comprends pas.

— Je peux venir avec vous ? demanda Wilma, qui avait
déjà commencé à le suivre hors de son bureau.

— Non, rétorqua Théodore. Tu es bien trop jeune pour
voir un cadavre.

Et, sur ces mots, il sortit rapidement de la maison.

Alors que Wilma revenait lentement dans la cuisine de Mme Ronchard, elle feuilleta le dictionnaire qu'elle avait gardé en main jusqu'au mot « médico-légal ».

— « *Se dit de la science mise au service de la justice pour identifier les auteurs d'un crime* », lut-elle. Bon. J'ai l'impression qu'on va trouver de nouveaux indices. Je n'ai pas intérêt à rater ça. Et il faut bien que je commence à appliquer les dix petits trucs du bon détective si je veux vraiment impressionner M. Lebon…

— Wilma ! hurla Mme Ronchard dans la pièce adjacente. Où sont passés mes gâteaux céréales-pommes-de-terre-foie ?

Wilma étouffa un cri en voyant Pétrin, allongé sur le dos, les pattes en l'air, ronflant à côté d'un bol très très vide. Apparemment, elle n'était pas la seule à avoir englouti le repas de quelqu'un d'autre.

13. Barbu d'Anvers est décidément un affreux personnage

puisé, Visser Haanstra se redressa et se massa le bas du dos. Coiffé d'une casquette d'ouvrier miteuse, il portait des lunettes aux verres en forme de haricot.

— J'ai plus de colle, dit une petite voix.

Janty, le fils de Visser, repoussa les quelques boucles brunes qui lui tombaient dans les yeux. Il se pencha sur l'établi de son père pour caler son menton dans ses paumes. Âgé de dix ans, Janty avait les yeux gris pâle et le nez constellé de taches de rousseur. Il était vêtu d'un pull-over vert foncé plein de trous et d'un short marron rapiécé en divers endroits, et portait aux pieds des chaussures de tennis toutes déchirées. Ses mains étaient pleines de taches et ses ongles noirs. En le voyant, on avait l'impression qu'on venait de le décoller du fond d'une poubelle.

Visser retira ses lunettes et s'essuya les yeux avec un mouchoir.

— Je crois qu'il m'en reste dans l'appentis. Va regarder. Mais d'abord, montre-moi ce que tu fabriques.

Janty tendit à son père une broche à moitié finie. Visser la prit entre ses doigts pour l'examiner.

— Et qu'est-ce que c'est ?

— Un écureuil, mais j'ai pas encore commencé la queue, du coup pour l'instant, on dirait plutôt une cacahuète.

— Pas mal, Janty, le complimenta Visser. Tu vois, tu finiras par devenir un faussaire digne de ce nom.

Les mieux élevés d'entre vous seront sûrement très choqués de lire qu'un père qui trempe dans des affaires illégales puisse pousser son fils à l'imiter. Mais une entreprise familiale reste une entreprise familiale, et Janty étant fils unique, il avait la responsabilité de poursuivre la tradition criminelle de ses ancêtres. Avec un frère casse-pieds ou une très vilaine sœur, Janty aurait peut-être eu le choix de devenir acrobate ou courtier d'assurances, mais il n'y avait que lui. C'était comme ça.

Au fond d'une cave en bordure de Pleur-Nichard, un village décrépi en Bas de l'île, Visser avait installé son atelier. C'était un véritable fatras d'outils, de livres et de sacs de sucre coloré. Dans un coin, une casserole bouillonnait sur une grosse cuisinière en métal et, à côté, des spatules et des pincettes étaient posées sur une pierre brûlante. Non loin de là, un placard fumant renfermait de fines feuilles de caramel encore chaud accrochées sur une grille. Une odeur douceâtre emplissait l'atmosphère chargée de brume tiède. Visser desserra l'étau de son établi et attrapa délicatement le petit objet qu'il venait de confectionner.

— Tiens, Janty, regarde. C'est une copie du coffret LeGassick.

L'objet était entièrement en sucre.

— C'est magnifique, papa, murmura Janty, fasciné, le regard allant de la réplique à un article de journal avec la photo de l'original. Est-ce qu'un jour tu crois que je saurai faire quelque chose d'aussi beau ?

— Mais oui, le rassura Visser en lui tapotant le dos. Un jour. Pour l'instant, va donc l'emballer pour moi dans un carton. Et apporte-moi le carnet de commandes.

— Oui, papa, dit le jeune garçon en sautant de son tabouret.

Son travail de la journée enfin terminé, Visser défit son tablier et l'accrocha au mur. Dans un placard près de la cuisinière, il prit une grosse marmite noire et la posa sur le feu. Il y plongea de l'orge, de l'herbe fraîche et du jus de roseau. Il ouvrit ensuite un récipient jaune suintant et en sortit une poignée de limaces qui se débattaient faiblement. Il jeta les mollusques dans la mixture. Il commençait à peine à mélanger quand la porte claqua derrière lui.

— J'espère que tu t'es lavé les mains, dit le faussaire juste avant de mettre la cuillère à sa bouche pour goûter.

— Oh, ce ne sera pas la peine, je pense, répondit une voix.

Au même moment, Visser sentit une main d'acier se refermer sur sa gorge.

Suffoquant, il tomba en avant et fit basculer la marmite qui répandit son contenu sur le sol. Le faussaire agrippa les doigts qui enserraient son cou, mais en vain. Il se sentit tiré en arrière et, d'un mouvement, son adversaire le retourna pour le mettre face à un homme très petit et très bien habillé.

— Bonjour, Visser, reprit l'homme en lui tapotant le crâne avec le pommeau argenté de sa canne. Vous vous souvenez de moi, n'est-ce pas ? Ça ira, Tully. Lâche-le.

Le sbire libéra la gorge de Visser. Ce dernier s'effondra au sol, toussant et crachant. Barbu secoua vivement sa botte afin de se débarrasser d'une limace qui avait eu le malheur d'atterrir là.

— Ragoût de limaces, hein ? C'est une spécialité du coin ?

— Qu'est-ce que vous voulez, Barbu ? cracha Visser, qui s'accrocha au pied de son établi pour se redresser.

Il fallait absolument qu'il prévienne Janty. Il avait installé une alarme silencieuse sous le rebord en marbre.

S'il arrivait juste à l'atteindre et à pousser le bouton...
SLAM ! La canne au pommeau argenté s'abattit sur les
doigts de Visser.

— Aaaah ! cria le faussaire.

— Vous n'essayeriez pas de prévenir quelqu'un de notre
présence, tout de même, monsieur Haanstra ? dit Barbu
en relevant le menton de Visser du bout de sa canne.
Tully, va vérifier que nous sommes seuls.

— Tout de suite, monsieur Barbu, répondit l'homme
de main avant de se diriger vers la porte.

— Il n'y a personne d'autre ! hurla Visser, qui massait
sa main endolorie en grimaçant de douleur.

— Ça, c'est moi qui vais en décider, trancha Barbu
avec un sourire de dédain. Que se passe-t-il, mon cher
Haanstra, je vous ai fait bobo ? Je n'ai aucune envie de
recommencer, vous savez. Mais je suis un homme qui aime
être tenu au courant. Et quand quelqu'un sait quelque chose
que j'ignore, cela me met de très, très mauvaise humeur.
Que voulez-vous, je dois être un peu trop colérique...

Barbu d'Anvers s'assit dans un fauteuil tandis que Visser,
hagard, gardait les yeux fixés sur la porte de l'appentis.

— Bien, monsieur Haanstra, venons-en au fait. La
pierre de Kastoran. Où est-elle ?

— Quoi ? demanda Visser, tremblant. Comment
voulez-vous que je le sache ?

Barbu tapota le pommeau de sa canne et hocha la tête.

— Je vais reformuler ma requête. Vous me dites où se

trouve la pierre de Kastoran et, en échange, je me retiens de briser les doigts de votre seconde main.

— Je... je ne vois pas de quoi vous voulez parler, bégaya Visser.

La porte de derrière s'ouvrit brusquement.

— Personne, monsieur Barbu, déclara Tully avec un haussement d'épaules.

Visser poussa un soupir de soulagement. Janty avait sûrement entendu le vacarme et compris qu'il y avait un problème. Il avait dû suivre les consignes de son père et se cacher dans l'arbre creux au fond du jardin.

— Parfait, grinça Barbu...

Nous arrivons au moment où les âmes sensibles devraient détourner les yeux. En effet, à quoi cela vous avancera-t-il de connaître les détails sanglants de ce que Barbu a fait par la suite ? À la place, mieux vaut penser à une agréable surprise — retrouver un bonbon oublié au fond d'une poche ou découvrir un chaton caché dans une chaussette. C'est vrai, Barbu ordonna à Tully d'écraser les lunettes de Visser avec ses fesses. Oui, il lui enfonça de la purée de carottes dans le nez. Et oui, Tully finit par ligoter Visser pour le hisser au-dessus de la cuisinière et lui tremper les pieds dans la casserole de sucre bouillonnant. Mais cela ne vous avancera à rien de le savoir, alors n'insistez pas. Je ne vous dirai rien.

— Tu peux le détacher, Tully, gronda Barbu une dizaine de minutes plus tard tout en faisant tournoyer sa canne d'un air menaçant.

Tully sortit un énorme couteau de son pardessus. Il l'approcha de la corde, la trancha d'un seul geste et Visser s'effondra sur le sol, ensanglanté et abattu.

— Et maintenant, chuchota Barbu en se penchant vers le faussaire, vous allez me dire tout ce que vous savez.

Visser toussota faiblement.

— La pierre de Kastoran, souffla-t-il, est…

Mais à ce moment même, une fléchette vint se planter dans son cou. Une expression de surprise traversa le visage du faussaire, qui se raidit et perdit connaissance.

— Mais qu'est-ce que… ? s'écria Barbu.

Il tourna la tête de tous côtés pour trouver d'où venait la fléchette. En haut d'un mur, une grille d'aération se referma dans un claquement sec.

— Tully, le conduit d'aération ! Vite !

Tully se releva et se précipita vers l'orifice pour regarder à l'intérieur. Trop tard.

— Personne là-dedans, chef, dit-il.

— Non, non, noooooooooon ! hurla Barbu en donnant des coups de canne sur l'établi. Qui OSE jouer au plus méchant avec MOI ?

— Le tunnel a l'air très profond, dit Tully. Je ne peux pas voir jusqu'où il va.

Barbu retira la fléchette du cou du faussaire inconscient.

— Empoisonnée ! Eh bien, Tully, cette histoire prend une tournure inattendue. Quelqu'un vient de contrecarrer les plans de Barbu d'Anvers.

Il jeta la fléchette par terre, leva le visage vers le plafond et se mit à hurler :

— Je suis FURIEUX ! Et j'aurai la peau de celui qui a tiré cette flèche. Viens, il n'y a qu'un seul moyen de le retrouver.

— En passant par le conduit d'aération ? demanda Tully en se grattant le crâne. C'est que je suis un peu gros pour...

— Non ! Pas par le conduit ! hurla Barbu, qui se mit à rouer son acolyte de coups de canne. Il faut que nous allions là où l'on trouve toutes les crapules et tous les ragots de l'île : aux *Douze Queues de Rat*. Mais nous avons eu une rude journée – torturer les gens n'est pas de tout repos. Nous nous y rendrons demain. Tully, ma cape.

L'homme de main posa la cape sur les épaules de son maître et tous deux s'éloignèrent rapidement.

Un effroyable silence retomba sur l'atelier. Au pied de la cuisinière, Visser était étendu, inanimé. Une limace rampa hors des ténèbres et manqua perdre l'équilibre alors qu'elle glissait sur la main brisée du faussaire. Du côté de la porte, un bruit transperça le silence : c'était Janty qui reniflait, dissimulé dans l'obscurité. Une fois certain que les visiteurs avaient quitté les lieux, il était revenu à l'atelier à pas de loup. Horrifié par ce qu'il voyait à présent, il prit Visser dans ses bras. Ses larmes glissèrent sur le visage de son père, et il sentit alors une légère respiration contre sa joue. Visser n'était pas mort !

— Papa ! cria Janty.

— Écoute-moi, chuchota Visser en rassemblant les forces qu'il lui restait. Le carnet de commandes… il faut que tu le caches. Qu'il reste dans un endroit sûr. Et ne fais confiance à personne. Va-t'en et ne reviens jamais.

— Mais, papa…

— Fais ce que je te dis ! insista Visser, luttant contre la douleur. Ne dis rien à personne ! N'oublie jamais le code d'honneur des faussaires, Janty : nous ne révélons jamais l'identité de nos clients. Jamais ! Il faut que tu continues… tu as un don… promets-moi… tu deviendras un grand faussaire… un grand…

Visser regarda longuement son fils, les yeux pleins d'espoir, puis son âme s'évanouit dans les ténèbres. Janty secoua la tête, désespéré.

— Papa ! hurla-t-il. Papa !

Encore un mort ? Et un pauvre garçon orphelin ? Quand je pense que nous n'en sommes même pas à la moitié de cette histoire. C'est affreux. Affreux.

14. Un déguisement peut se révéler une ruse parfaite (mais pas toujours)

itus Augrenu avait toujours rêvé de devenir chanteur d'opéra. À ce moment-là de notre histoire, il se tenait debout les yeux fermés, un foie disséqué dans une main et un bocal de cervelle dans l'autre, et il chantait à tue-tête. Son assistante, Penbert, une femme compétente qui haïssait la musique d'opéra (surtout interprétée par Titus), se bouchait les oreilles en attendant la fin. Cet air-là était particulièrement épouvantable car Titus en était lui-même l'auteur. Il s'intitulait *Sans Artère-Pensée*, et ce titre seul suffit pour imaginer le désastre. Heureusement pour Penbert, qui avait autre chose à faire (comme une maquette de poulet en allumettes à terminer), le chant touchait à sa fin.

— *Toutes ces ablatiooooooooons!* s'époumonait Titus, les bras en l'air. *C'est mon péché mignoooooooooon! Mais c'est une vraie souffraaaaaaaaance! Quand la vessie est raaaaaaaaaance!*

Alors que la dernière note résonnait dans la pièce, Titus

se plia en deux pour saluer son public imaginaire. Penbert retira les doigts de ses oreilles et applaudit mollement.

— Bravo, docteur Augrenu. Bien, je disais donc que je ne suis pas sûre que cela marche avec de l'acide fluorhydrique, parce que…

— C'était réussi ? l'interrompit anxieusement le Dr Augrenu. Ma voix… elle sonnait juste ? Le timbre était bon ?

Penbert regarda ailleurs et repoussa ses très grosses lunettes en haut de son nez.

— Eh bien, commença-t-elle, mal à l'aise, il me semble que c'était peut-être un peu mieux qu'hier.

Le Dr Augrenu posa violemment son bocal de cervelle sur la paillasse.

— Alors, c'est que je m'améliore. Tenez, Penbert. Faites-moi des analyses de confusion et d'embrouillamini sur cet échantillon. Et je veux votre rapport à la fin de la journée.

Toutes les enquêtes scientifiques criminelles de Cooper se faisaient au laboratoire. On y trouvait un fatras de tubes à essais, de microscopes et de bocaux pleins de morceaux de corps humain. Deux tableaux noirs verticaux étaient accrochés au mur. Sur chacun d'eux, on avait dessiné la silhouette d'une personne, ensuite recouverte de flèches et de gribouillis à la craie. En très gros, on pouvait lire

« Pieds horriblement malodorants » suivi d'une longue ligne de points d'exclamation. Dans un coin, on trouvait une hotte aspirante (pour analyser les produits toxiques), une étagère pleine à craquer de livres et de dossiers, et, au mur, une rangée de crochets sur lesquels étaient suspendus des masques, des tabliers et des gants. Au centre de la pièce, une grande table métallique pour l'autopsie des cadavres et, à gauche, deux petits bureaux. Alors que le premier croulait sous les documents, les magazines d'opéra et les gobelets encore à moitié pleins de thé, le second était très propre et très bien rangé. Dessus, il n'y avait qu'un petit poulet en allumettes en cours de construction.

Penbert – tout le monde l'appelait par son nom de famille – prenait son travail très au sérieux. Pas comme le Dr Augrenu, qui préférait jouer des mauvais tours à son assistante, comme la fois où il avait caché un vrai pied dans une de ses chaussures de travail. Comme elle n'était que l'assistante et qu'elle tenait à garder son sérieux en toute occasion, Penbert supportait les imbécillités du Dr Augrenu sans jamais montrer son exaspération.

Une des responsabilités favorites de Penbert était de fournir aux visiteurs un badge officiel. Alors, quand le célèbre détective Théodore P. Lebon et l'inspecteur Lecitron (le seul officier de police de Cooper) arrivèrent à quatre heures et dix minutes, elle sauta sur l'occasion. Elle s'appliqua à consigner leurs noms dans le registre des visites et leur donna de grands badges à accrocher au revers de leur veste.

— Merci, Penbert, dit Théodore qui épingla consciencieusement le sien avant d'ajouter : Vous avez accroché le vôtre à l'envers, inspecteur.

Penbert, qui avait remarqué l'erreur du policier mais n'osait rien dire, en fut très soulagée. Théodore s'approcha du Dr Augrenu et lui serra vigoureusement la main.

— Alors, l'éclat de la fausse pierre de Kastoran ? Vous avez réussi à l'analyser ?

— Mais très certainement, Lebon, mugit Titus en se frottant l'estomac. Et vous aviez raison. C'était bien du sucre.

— Un sucre particulier, ajouta Penbert.

— Tout à fait, acquiesça Titus. Un sucre très particulier, même. Parfaitement. Qu'est-ce que c'était, au fait, Penbert ?

— Un sucre qu'on appelle *ambidextrose*, précisa l'assistante, le nez sur son bloc-notes.

— Intéressant, dit Théodore en tripotant machinalement sa loupe.

L'inspecteur suçota un temps son stylo, puis se mit à écrire.

— Le voleur est donc un spécialiste du sucre ? demanda-t-il.

— Pas nécessairement, répondit Théodore. Ne tirons pas de conclusions hâtives.

— Et c'est bon, comme sucre ? s'enquit l'inspecteur. On peut en faire des gâteaux ? des biscuits ? des meringues ?

— Non, non, répondit Penbert. Rien à voir avec le sucre que nous connaissons. Celui-ci a une structure moléculaire très intéressante, il est beaucoup plus épais que du sucre normal. Nous avons également trouvé des traces de poison, un autre élément inhabituel. Ce poison provient de l'écorce du cynta, un arbre très rare. Je pense que sa présence est accidentelle. Il a pu être transféré par le toucher.

— Cela expliquerait l'odeur sur l'éclat, dit Théodore qui sortit son vieux carnet en cuir. Ainsi, la présence du poison serait accidentelle. Fascinant.

— Oui, acquiesça le Dr Augrenu en agitant la main pour passer à la suite. Et il y avait quelque chose d'écrit sur le fragment, une sorte de signature. Qu'est-ce que ça disait, au fait, Penbert ?

— « *Fabriquer par moi* », répondit Penbert après un coup d'œil à son bloc-notes. Et c'était une écriture très inhabituelle, d'ailleurs j'en ai fait des agrandissements maximaux avec le microscope à…

Alors que Penbert s'apprêtait à montrer ses images, on frappa vigoureusement à la porte. Penbert leva les yeux vers l'horloge et fronça les sourcils. Aucune autre visite n'était prévue à cette heure-là et, de toute façon, elle n'était même pas sûre d'avoir un autre badge. Cette histoire commençait à mal tourner.

— Excusez-moi, reprit-elle.

Elle reposa son bloc-notes et alla ouvrir la porte. Devant elle se tenait un tout petit homme arborant une barbe si énorme qu'elle lui recouvrait les trois quarts du visage. Il portait un grand chapeau mou, des lunettes noires et une combinaison en patchwork au moins dix fois trop grande pour lui. À ses pieds, un sac en toile tout bosselé semblait remuer tout seul. L'homme se mit à parler d'une voix étrangement aiguë.

— Je suis venu réparer la plomberie.

Penbert fronça le nez.

— Mais nous n'avons aucun problème de plomberie. Et de toute façon, nous avons déjà atteint notre quota de visiteurs pour la journée. Pas plus de deux à la fois. Merci.

Penbert était fière d'elle. Elle avait réglé le problème des badges.

— Non, dit l'homme en s'avançant pour scruter l'intérieur du laboratoire. Je vous jure qu'il y a un problème. C'est le… euh… l'agence centrale de plomberie qui m'envoie.

— L'agence centrale de plomberie ? répéta Penbert, méfiante.

— C'est ça, opina l'homme. Elle s'occupe surtout de plomberie. Vous voyez ?

Penbert dévisagea l'homme d'un air sévère.

— Vous n'êtes pas vraiment plombier, si ? dit-elle, les bras croisés et les lèvres pincées.

— Mais si ! s'écria l'homme alors que son chapeau

tombait devant ses lunettes. Je connais un tas de choses en plomberie. Par exemple, ça là-bas... c'est un évier ! Juste là, à côté du détective !

— Comment savez-vous que je suis détective ? demanda Théodore qui avait suivi toute la scène. Faites entrer cet homme, Penbert. Il y a quelque chose de louche dans son histoire.

— Mais je n'ai que deux badges visiteurs, dit Penbert nerveusement.

— Quelle importance ? mugit le Dr Augrenu, qui voulait lui aussi voir ce drôle de plombier. Entrez, entrez, jeune homme ! Qu'on vous examine un peu !

L'homme se pencha pour ramasser son sac, mais celui-ci s'agitait tellement à présent qu'il dut le prendre à deux bras avant de s'avancer dans le laboratoire d'un pas chancelant. C'est alors qu'il trébucha sur une jambe de sa combinaison, se prit le pied dans l'ourlet de l'autre et s'affala tête la première sur une pile de dossiers bien ordonnés, faisant tomber son sac. Dans un craquement, ce dernier s'ouvrit et, à la surprise générale, un beagle, coiffé d'une casquette et de lunettes de protection, s'en échappa. L'animal était en plus affublé d'une moustache rousse très fournie et portait une ceinture à outils. Théodore attrapa le jeune homme par le col de sa combinaison et, d'un geste, lui arracha sa fausse barbe.

— C'est bien ce que je pensais, dit-il à Wilma. C'est inadmissible. Tout à fait inadmissible.

— Mais vous comprenez, gémit Wilma, c'est très important que je m'entraîne à rassembler des indices ! Vous savez, pour les contemplations et les déductions. Et les crimes, c'est comme des devinettes, c'est vous qui l'avez dit. Alors j'ai pensé qu'il valait mieux que je vienne, avec un déguisement que j'ai pris dans la malle de Mme Ronchard. Parce que ça peut se révéler une ruse parfaite, un déguisement, enfin c'est ce que vous avez dit dans votre petit truc numéro sept. Alors j'ai pensé qu'il valait mieux que je...

Wilma hésita puis se tut. Le grand détective n'avait pas l'air convaincu.

Théodore P. Lebon, qui était un homme très sérieux et très important, laissa échapper un soupir et rendit sa fausse barbe à la jeune orpheline.

— Wilma, expliqua-t-il patiemment, tu travailles pour Mme Ronchard. Tu crois qu'elle serait contente de découvrir que tu passes ton temps à la chasse aux indices alors que tu as des corvées à faire ? Enfin, maintenant que tu es là, reste à côté de l'inspecteur et tâche de ne pas trébucher sur autre chose.

— Mais il ne me reste plus un seul badge visiteur ! protesta Penbert.

Maintenant que tous ses dossiers soigneusement rangés par ordre alphabétique étaient étalés sur le sol, l'assistante atteignait des sommets de nervosité.

— Tiens, Wilma, intervint l'inspecteur en tendant son

badge à la fillette. Tu peux prendre le mien. Moi, je suis de la police, alors je n'ai pas besoin d'un badge.

— En fait, si, murmura Penbert, troublée. D'ailleurs…

— Penbert, l'interrompit le Dr Augrenu en levant les yeux au ciel, ça suffit ! Bien, Lebon, l'inscription sur l'éclat. Regardez l'agrandissement : « *Fabriquer par moi* ». Qu'est-ce que vous en pensez ?

— Voyons voir, dit Théodore, qui saisit sa loupe pour y regarder de plus près. *Fabriquer* devrait prendre un *e accent aigu*. Voyons, une superbe imitation tout en sucre, et une grammaire plus qu'approximative… Je ne connais qu'un seul homme qui puisse être l'auteur de ce message : Visser Haanstra. Vous vous souvenez de lui, inspecteur ?

— Hum… je l'ai sur le bout de la langue, Lebon… attendez… une seconde… Non. Non, finalement je ne vois pas, avoua l'inspecteur.

— L'énigme du masque argenté, monsieur Lebon ! lâcha Wilma, surexcitée. Celle où Barbu d'Anvers vous a tendu un piège avec des crabes. Je l'ai juste là, sur mon Porte-Indices !

Elle se mit aussitôt à feuilleter sa collection d'articles.

— Très juste, Wilma, déclara Théodore. Nous lui rendrons visite dès demain matin. Visser est peut-être un artisan exceptionnel, mais je doute que tout cela soit son idée.

— Et Jérémy Burlingue ? demanda Wilma. Lui aussi, c'est un suspicieux.

— Un suspect, pas un suspicieux. Ce n'est pas la même chose. Non, je l'ai rencontré ce matin. Je pense qu'il dit la vérité. Il *croit* réellement avoir vu Alan le matin de son assassinat, d'ailleurs le capitaine Brock nous confirme qu'un visiteur portant ce nom leur a rendu visite. Mais comme tu le disais si bien, Wilma, un déguisement peut se révéler une ruse parfaite. Jérémy n'est pas coupable, et si ce mystérieux visiteur n'est pas notre assassin, alors je ne m'appelle plus Théodore P. Lebon. Nous devons agir vite, inspecteur, avant que les indices ne disparaissent. Et sinon, concernant Alan Kastoran et sa tante, Titus ? Savez-vous de quelle manière ils ont été assassinés ?

Le visage du Dr Augrenu s'assombrit instantanément.

— Ah, ça, c'est très étrange, Lebon, dit-il en secouant légèrement la tête. Vraiment étrange. Nous n'avons presque rien trouvé. Pas de blessures, pas d'ecchymoses, pas de poison, rien. Nous avons bien trouvé une écaille de poisson sur la tante d'Alan Kastoran, mais d'après son entourage, elle adorait faire la cuisine, alors l'explication est sans doute là. Et ils avaient chacun un brin de lavande à la main.

— Mais s'il n'y a ni blessure, ni poison… comment sont-ils morts ? demanda l'inspecteur en se grattant le crâne.

— Nous sommes parfaitement incapables d'établir comment ou pourquoi ils sont morts, répondit Penbert. Mais il y a une dernière chose…

Elle s'interrompit et jeta un regard au Dr Augrenu.

— Eh bien, quoi ? Qu'y a-t-il ? la pressa Théodore en tripotant furieusement sa moustache.

— Eh bien, répondit le Dr Augrenu, sa voix désormais plus basse qu'un murmure, leur cœur était gelé. Complètement gelé.

Wilma sentit ses yeux s'écarquiller malgré elle. Pétrin glapit et secoua sa ceinture à outils. Voilà un retournement qui faisait froid dans le dos.

15. Aux Douze Queues de Rat, allée des Œufs-Pourris

hacun sait qu'il y a des endroits à ne pas fréquenter si on ne veut pas avoir de problèmes. Sur l'île de Cooper, cet endroit était une taverne appelée *Les Douze Queues de Rat*, lieu de prédilection des Affreux Criminels. Elle était nichée à l'ouest du port, dans un renfoncement sombre de l'allée des Œufs-Pourris, une rue très sale aux relents d'égouts. Au-dessus d'une porte miteuse pendait une pancarte de bois sur laquelle étaient peints douze queues de rat et ce sinistre avertissement : « Personne est le bienvennu. Allé vous zen. »

Aux *Douze Queues de Rat*, les murs suintaient de sueur et de crasse, d'épais nuages de fumée de pipe emplissaient l'atmosphère et une odeur de bière éventée attaquait les narines. La taverne n'était qu'un dédale d'obscurs coins et recoins. Même de bon matin, elle regorgeait déjà de voyous et de crapules voûtés au chapeau tiré bien bas sur le front, qui dissimulaient leur méchanceté sous de lourds manteaux. Lorsque Barbu d'Anvers entra, il inspecta rapidement la pièce de son air méprisant habituel.

— Un endroit parfaitement immonde, gronda-t-il avant de couvrir son nez avec sa cape. J'avais oublié. Rappelle-moi de ne pas enlever mes gants, Tully. Eh bien, qu'est-ce que tu attends ? Va donc me le chercher !

Alors que Tully s'éloignait furtivement dans le brouillard ambiant, Barbu remarqua une femme grisonnante, coiffée d'un haut-de-forme déchiré, qui le fixait du regard. Un bandeau sur l'œil, elle suçotait une longue tige qui ressemblait furieusement à un os.

— Répugnant, grinça Barbu à mi-voix.

Plus loin, il aperçut alors une autre femme dont il ne parvenait pas à discerner les traits ; en effet, elle dissimulait son visage sous les plis d'un lourd châle. Dans l'obscurité, Barbu ne distinguait qu'une longue boucle brune le long de sa joue et deux minuscules points de lumière dans ses yeux : le reflet de la bougie sur sa table. Elle manipulait un jeu de cartes qu'elle coupait et mélangeait avec dextérité, le rouge vif de ses ongles lançant des éclairs à chacun de ses gestes. Cette inconnue semblait s'intéresser de très près à Barbu, mais quoi de plus normal ? se dit celui-ci. Après tout, il était le criminel le plus tristement célèbre de l'île.

— Elle veut sûrement un autographe, marmonna-t-il en haussant les épaules.

— Par ici, monsieur Barbu ! lança une voix à travers la pénombre.

Tully lui fit signe de s'approcher d'un recoin particulièrement sombre. Tandis que Barbu s'asseyait à la table de l'homme qu'il venait voir, ce dernier prit une longue gorgée dans la chope posée devant lui et s'essuya la bouche d'une main crasseuse. Pif Deguingois avait toujours l'air d'avoir enfilé son visage à l'envers. Chez cet homme, tout était de travers ou excentré : ses yeux tombaient vers la gauche, sa bouche se déportait vers la droite, et son nez, si écrasé qu'il paraissait inexistant, semblait hésiter entre les deux directions.

Barbu posa sa canne sur la table.

— Pif, tu sais très bien pourquoi je suis là : la pierre de Kastoran. Qui l'a volée ? Où est-ce que je peux trouver cette personne ? Combien de gens vais-je encore devoir torturer ?

Pif secoua lentement la tête, se pencha en avant et se mit à murmurer, le nez couinant à chaque mot :

— Je vais vous dire, monsieur d'Anvers, personne n'en sait rien. Personne n'en parle. Pas depuis ça… (il mit la main dans sa poche, en sortit le journal du matin, tout chiffonné, et tapota la une du doigt). Regardez. Des cœurs complètement gelés, monsieur d'Anvers. Je ne connais pas un être humain capable de faire ça.

Barbu plissa les yeux.

— Et alors ? Ce type réussit à geler le cœur des gens.

La belle affaire ! Il ne sait pas utiliser un bon vieux pistolet ou un bâton pointu ? Je ne sais pas qui c'est, mais de toute évidence, ce gars-là est un frimeur. Et même si je reconnais que cela m'impressionne, je vais quand même le supprimer et lui reprendre ce diamant. La seule chose qui m'intéresse, Pif, c'est son nom.

Barbu saisit sa canne et la pointa brutalement sur la poitrine de son informateur.

— Et c'est toi qui vas me le dire.

— Mais je n'en sais rien, monsieur d'Anvers ! s'écria Pif, les yeux exorbités. Tout le monde parle du meurtre de Visser Haanstra. Un si grand faussaire, c'est une tragédie pour la fraternité des Affreux Criminels. Bref, lui seul connaissait le nom du voleur, mais il a emporté le secret dans sa tombe. Cependant, ajouta le mouchard à voix basse, on murmure qu'il gardait un carnet de commandes qui contiendrait tous ses secrets. Si vous arrivez à le dénicher, vous y trouverez sûrement le nom du voleur.

— Un carnet de commandes ? répéta vivement Barbu, enfonçant un peu plus sa canne dans le torse de Pif. Qu'est-ce que tu racontes ?

— Visser gardait dans un carnet le nom de tous ses clients, toussota Pif, qui respirait avec difficulté. Il ne laissait personne le voir, à part son fils Janty. Et maintenant, il est le seul à savoir à quoi il ressemble et où il se trouve.

Barbu reposa sa canne et se mit à songer à voix haute :

— Alors, Visser avait un fils… Mmm… Intéressant.

— Il doit être bien p'tit, ajouta Tully, qui lui aussi réfléchissait tout haut. Pas difficile à tuer.

— Il n'y a pas de mal à être petit, Tully ! aboya Barbu avant de donner un violent coup de canne sur le front de son acolyte. Non, nous n'allons pas tuer ce garçon. En tout cas pas encore. J'ai comme l'impression qu'il pourra nous être utile. Donne son dû à Pif et rejoins-moi dehors.

Barbu sortit à grands pas des *Douze Queues de Rat* pour retrouver le froid perçant du matin. Alors qu'il attendait Tully dans la ruelle, il sentit une présence sur sa gauche. Il se retourna vivement et leva sa canne.

— Vous, là-bas ! cria-t-il. Avancez, que je vous voie !

Du brouillard émergea alors la femme vêtue d'un châle, qui jouait avec les cartes quelques instants auparavant. Elle se tenait voûtée au-dessus d'un bâton, un panier au bras. À la main, elle tenait une petite chose bleue.

— Lavande porte-bonheur, monsieur, marmonna-t-elle en s'avançant, la fleur en l'air.

— Laissez-moi tranquille ! cria Barbu avant de donner un coup sec dans la main de la femme, au moment où celle-ci lui jetait la fleur au visage. Tully !

Le sbire de Barbu s'extirpa à cet instant de la taverne.

— Si je te paie, ce n'est pas pour devoir m'occuper moi-même de mes adoratrices les plus folles ! Débarrasse-moi de cette chose.

Tully repoussa la femme contre le mur et, tandis que Barbu s'éloignait rapidement, l'étrange inconnue se fondit de nouveau dans les ténèbres d'où elle avait surgi.

16. Méchant un jour, méchant toujours !

— ilma Tenderfoot ! hurla Mme Ronchard en se dandinant vers son salon. Ça fait une demi-heure que je t'appelle ! Où étais-tu passée ?

Wilma était restée debout toute la nuit pour fabriquer son propre tableau d'enquête. Alors qu'elle se précipitait dans le couloir, elle pensa qu'elle venait sûrement encore de s'attirer des ennuis, et Pétrin, qui était loin d'être stupide malgré les apparences, s'en doutait aussi. C'est pourquoi il préféra trottiner tranquillement jusqu'à la cuisine tandis que Wilma pressait le pas vers le salon. S'il restait sagement assis devant les épluchures de légumes assez longtemps, l'air ailleurs, il réussirait probablement à ne pas trop se faire remarquer. Il parviendrait peut-être alors à échapper aux foudres de Mme Ronchard.

Essoufflée, Wilma finit de grimper quatre à quatre les marches de l'escalier de la cave.

— Jamais ! hurla Mme Ronchard, une vague de salive dégoulinant le long de son menton. Jamais avant ce jour on ne m'avait envoyé une enfant aussi têtue ! Qu'est-ce que tu fais là, les joues gonflées comme un hamster ? Arrête donc de faire des grimaces et va plutôt me poster cette lettre. Quand ce sera fait, tu auras un sac d'oignons à éplucher, et ensuite, tu pourras venir me limer les ongles de pied. Et tu as intérêt à te dépêcher, Wilma Tenderfoot ! Sinon, je te mettrai dans une boîte et je te renverrai à ton orphelinat avant que tu n'aies eu le temps de dire ouf !

Wilma marchait sur des œufs de caille. Si elle se faisait renvoyer, elle pouvait dire adieu à tous ses rêves de détective. En règle générale, les fillettes turbulentes mais déterminées au service de maîtresses aussi énormes qu'irascibles ont tout intérêt à obéir. Mais la tête de Wilma débordait d'indices et de raisonnements plus farfelus les uns que les autres. La fillette ne pensait plus qu'à une chose : réussir à rejoindre le plus grand détective du monde dans l'atelier de Visser Haanstra. Ce serait une excellente opportunité pour s'entraîner à écouter aux portes, le petit truc numéro quatre. Cette fois-là, elle ne commettrait aucune erreur et M. Lebon serait bien obligé de l'embaucher.

Wilma avait fait de son mieux pour que son tableau d'enquête ressemble en tout point à celui du détective Lebon. Mais sans photos, sans plans et sans ficelle, ce n'était pas si facile. Elle avait donc réuni des articles découpés dans le *Lève-Tôt*, et les avait collés autour d'une chaussette bleu marine sur laquelle elle avait inscrit « CHAMBRE FORTE » à la craie. Wilma l'examina une dernière fois, puis elle mit son chapeau de paille pour se rendre au bureau de poste.

— Il faut toujours noter tout ce qu'on sait, pour ne rien oublier, Pétrin, expliqua-t-elle au beagle qui l'avait suivie à la cave. Déjà, il y a cette histoire de lavande. Je suis presque sûre que c'est un élément important. Et puis il y a l'écaille de poisson. Peut-être que ça aussi, c'est un élément important. Ensuite, il y a Visser et le sucre, et aussi du poison. Pour finir, il y a tous ces cœurs gelés. Ça, je n'y comprends pas grand-chose. Peut-être que ça a un rapport avec les abeilles ? Elles aiment la lavande et elles piquent. S'il existait une espèce d'abeille particulière qui pique avec un poison qui transforme en glace ? Elle pourrait ressembler à ça.

Tout en réfléchissant à voix haute, Wilma se mit à dessiner une abeille géante piqueuse-de-glace au dos de l'enveloppe que Mme Ronchard lui avait remise. Pétrin, qui n'avait aucune idée de ce que sa camarade pouvait bien raconter, resta immobile. La plupart du temps, quand un chien hésite sur la marche à suivre, c'est ce qu'il fait : il ne fait rien.

— C'est comme la fois où M. Lebon a capturé le scientifique qui élevait des vers de terre venimeux. Regarde, poursuivit Wilma en agitant l'article correspondant accroché à son Porte-Indices. Comme ça. Mais avec des abeilles, cette fois. Des abeilles qui piquent en glaçant. Qu'est-ce que tu en penses ?

Elle jeta un regard interrogatif à son loyal compagnon, qui comprit bien vite que le seul moyen de se sortir de cette situation était de se tenir plus immobile que jamais.

Le grand détective Théodore P. Lebon prenait soin de ne rien toucher. On devait toujours traiter une scène de crime avec précaution. Que ce soit pour le vol d'une toute petite chose, comme un trombone, ou pour le meurtre d'une chose énorme, comme un hippopotame, c'était la règle. Après avoir découvert Visser mort sur le sol de son atelier, Théodore s'appliquait donc à ne pas bouger et à regarder autour de lui. Le grand détective aimait contempler dans le silence total, mais avec l'inspecteur Lecitron juste derrière lui, c'était hélas pratiquement impossible.

— Le ragoût de limaces, Lebon, dissertait l'inspecteur un doigt vers le sol, ça ne m'a jamais beaucoup tenté. C'est beaucoup trop caoutchouteux. Cela étant, je n'ai pas encore déjeuné. Je me suis contenté de harengs et de bacon pour le petit déjeuner. Avec un petit gâteau. Et des biscuits. Un sandwich, aussi — j'ai eu un petit creux. Oh, et puis il y a eu ce morceau de tarte. Mais quand bien même... Tiens, je me demande si ce ragoût est encore chaud...

— Ne touchez à rien, s'il vous plaît, inspecteur, murmura le détective en attrapant son ami par le bras alors qu'il se penchait pour plonger le doigt dans la marmite. Nous aurons tout le temps de manger un morceau plus tard. Apparemment, quelqu'un essaie de brouiller les pistes, et il ne laisse aucun témoin derrière lui.

— C'est le b-a ba du criminel, acquiesça l'inspecteur, qui n'avait pas quitté le ragoût des yeux.

Puis il sortit son carnet pour donner l'impression de faire quelque chose d'important, et il se mit à dessiner un personnage qui ressemblait curieusement à Mme Frisquet.

Entre-temps, Théodore s'était rapproché du corps et

avait tout de suite constaté des traces de lutte violente. Il prit sa loupe et se pencha pour observer Visser.

— Intéressant, dit-il. De toute évidence, cet homme a été torturé, mais ce n'est pas cela qui l'a tué. Les vaisseaux sanguins autour des lèvres ont éclaté. Probablement du poison...

— Ne le touchez pas ! s'écria soudain une voix.

Théodore fit volte-face : devant lui se tenait un petit garçon avec une crinière de cheveux bruns et ses yeux rouges encore embués de larmes.

— Lâchez-le ! Laissez-nous tranquilles !

Le grand détective comprit rapidement la situation. Il fit un pas en avant.

— C'était ton père ? demanda-t-il avant de poser la main sur l'épaule du garçonnet.

Janty hocha la tête et baissa les yeux sur ses chaussures fatiguées.

— Est-ce que tu as vu la personne qui a fait ça ? demanda doucement Théodore.

— Non, renifla Janty en passant la main sur ses yeux. Il me disait toujours d'aller me cacher quand on avait des ennuis. Je suis allé dehors.

— Est-ce que ta maman est là ? demanda Théodore.

— J'ai pas de maman, marmonna Janty. Maintenant, j'ai plus personne.

— Comment t'appelles-tu, mon garçon ? s'enquit Théodore.

— Janty, répondit l'enfant, sensible à la gentillesse de Théodore. Janty Haanstra.

— Janty, commença le détective, sa main toujours sur l'épaule du garçon, je suis vraiment désolé pour toi. Je ferai tout mon possible pour amener la personne qui a fait cela devant la justice. Mais pour l'instant, il faut que tu quittes cet endroit. Inspecteur, ajouta-t-il en se tournant vers son collègue, veillez à ce qu'on prenne soin de ce garçon. Tenez, prenez mon mouchoir, Lecitron. Séchez vos larmes, par pitié.

— Trop aimable, sanglota l'inspecteur, qui avait une fâcheuse tendance à fondre en larmes dès qu'il était question d'enfants et de tristes nouvelles.

— Oh! s'exclama une voix depuis la porte. C'est épouvantable. Je n'ai pas voulu y croire quand on me l'a dit. Mon vieil ami… mort?

Théodore serra les dents: cette voix, il ne la connaissait que trop.

— Barbu d'Anvers, murmura-t-il.

— Bonjour, Théodore, lança le minuscule malfaiteur avec mépris. Comme il est déplaisant de vous voir ici.

L'inspecteur Lecitron jeta son carnet et bomba le torse.

— Restez poli, d'Anvers! fulmina-t-il en agitant un doigt menaçant en direction du criminel. Essayons d'éviter les accrochages.

— Ce n'est rien, inspecteur, intervint Théodore. Je

suis surpris de vous voir ici, Barbu. Ne me dites pas que vous êtes responsable de ce carnage ?

— Moi ? s'offusqua Barbu. Comment aurais-je pu ? Visser était un de mes amis les plus proches. Je suis venu ici afin de présenter mes hommages, tout simplement, et aussi pour ramener Janty chez moi. Viens, mon garçon. Ramasse tes affaires. C'est ce que ton père aurait voulu.

— Mais je ne vous ai jamais vu, se plaignit Janty en dévisageant l'homme vêtu de noir qui se tenait devant lui. Et je n'ai jamais entendu parler de vous.

Barbu leva les sourcils et se pencha vers l'enfant.

— Jamais entendu parler de moi ? Mais enfin, je suis Barbu d'Anvers, le plus grand esprit criminel qui ait jamais existé. Tully ! Donne-lui un poster. Jamais entendu parler de moi, et puis quoi encore !

Tully fouilla dans son pardessus et en sortit une grande affiche sur laquelle on voyait Barbu, l'air très méchant, prenant la pose devant un horizon menaçant. En bas, on pouvait lire en grosses lettres *Méchant un jour, méchant toujours !*

— Je peux te le dédicacer, si tu veux, ajouta Barbu, mais Janty secoua la tête.

— Qu'est-ce que vous manigancez, Barbu ? demanda Théodore, les yeux plissés. Vous n'avez jamais fait preuve de la moindre gentillesse de toute votre vie. Qu'est-ce que vous lui voulez, à cet enfant ? De toute façon, tant que je n'aurai pas éclairci cette affaire, il restera ici.

— Désolé, lança Barbu en attrapant Janty par le bras. Pas le temps pour vos histoires. Il faut qu'on y aille. Et vu que je suis désormais le tuteur légal de cet enfant, il m'est évidemment impossible de le laisser avec des inconnus.

— Comment ça, « tuteur légal » ? bafouilla l'inspecteur.

— Tully, les papiers ! ordonna le brigand en claquant des doigts.

Le sbire tendit à son maître un papier plié en deux que Barbu ouvrit d'un geste théâtral.

— *Je déclare par la présente que Barbu d'Anvers* — c'est moi — *a été reconnu seul et unique tuteur de Janty Haanstra, orphelin* — c'est toi — *jusqu'à ce que...* bla bla bla... et puis la suite. Tout est en règle.

— Donnez-moi ça, souffla l'inspecteur en arrachant le papier des mains de Barbu. Lebon, vous n'allez pas le croire, mais c'est vrai ! Il y a le sceau officiel de l'Institution des Petits Malchanceux du Bas. Il gère tous les orphelins de l'île.

— Attendez une minute, dit Théodore, flairant quelque chose de louche. Comment avez-vous su que Janty était orphelin, Barbu ?

Un petit sourire satisfait s'insinua sur les lèvres de Barbu.

— Ah, c'est triste, répondit-il tout en faisant tournoyer sa canne, mais vous savez comme les mauvaises nouvelles vont vite.

— Je ne vous connais pas ! geignit de nouveau Janty, qui gigotait pour se dégager de la prise de Barbu. Et en plus, ce monsieur m'a dit qu'il trouverait quelqu'un pour s'occuper de moi. Et il va trouver celui qui a tué mon père !

Le regard de Barbu se durcit un instant, puis il baissa la tête et porta une main à sa poitrine en un geste dramatique.

— Oh, pauvre de toi ! Tu veux suivre ce monsieur ? Le responsable de tous nos problèmes et de toutes nos contrariétés ? Sais-tu au moins qui il est ? Il faut que je te l'apprenne. Il n'y a pas un seul Affreux Criminel dans Cooper qui ne le haïsse. Mon cher enfant, voilà Théodore P. Lebon. L'ennemi juré de ton père !

Janty se retourna pour dévisager le détective.

— C'est vrai ? C'est vous, Théodore P. Lebon ? murmura-t-il, le visage pétri de confusion.

— Oui, c'est lui ! cria Wilma en déboulant subitement du couloir. Et c'est le plus grand détective du monde !

— Ah non, pas encore ! gémit Théodore. Comment es-tu arrivée ici ?

— Dans le rapport sur l'énigme du masque d'argent, le journaliste avait mentionné l'adresse de l'atelier, expliqua rapidement Wilma. J'ai simplement passé la frontière en me cachant à l'arrière d'une charrette de choux. D'ailleurs, on ne doit pas sentir très bon. Désolée.

Pétrin, lui, avait l'air ravi.

— Depuis combien de temps es-tu là ? demanda Théodore, qui s'efforçait de garder son sérieux tout en gardant son sang-froid.

— J'ai tout entendu. Je m'entraînais à écouter aux portes – même si je sais que normalement, je n'aurais pas dû sortir de ma cachette et vous montrer que j'étais là, reconnut honteusement Wilma lorsque le détective leva un sourcil. Mais ça, ce n'est pas grave, il faut empêcher le garçon de partir ! Il ne faut pas que tu suives Barbu d'Anvers ! implora Wilma en se tournant vers Janty. C'est un très méchant monsieur. J'ai des tas de preuves sur mon Porte-Indices !

— Mais qui c'est, celle-là ? s'écria Barbu qui s'était approché pour jeter un regard noir à cette fillette à l'air têtu. C'est une amie à toi, Janty ?

— C'est la première fois que je la vois, répondit le garçon, les yeux toujours fixés sur Théodore.

— Alors cela ne te regarde absolument pas, gamine, aboya Barbu. Va jouer ailleurs.

La gorge serrée, Wilma répondit la première chose qui lui passait par la tête mais, comme elle s'en rendit vite compte, elle aurait peut-être dû éviter.

— Je m'appelle Wilma Tenderfoot, déclara-t-elle, et vous, vous êtes beaucoup plus petit en vrai. Je veux dire plus petit que sur les photos de mon Porte-Indices. Par exemple, sur celle-là, insista-t-elle en feuilletant son carnet pour trouver un article, vous avez dû monter sur une caisse, ou quelque chose comme ça. C'est obligé.

— Tully ! hurla le bandit, les yeux exorbités. Attrape-la ! Attrape-la tout de suite !

— Wilma ! s'écria Théodore, qui se précipita devant la fillette au moment où Tully s'approchait d'un pas menaçant. Va derrière l'inspecteur. Je m'occuperai de toi dans un instant. Janty, je sais que pour l'instant, tu dois avoir du mal à me faire confiance, mais prends quand même ma carte. Tu en auras peut-être besoin un jour.

Théodore tendit une carte de visite au petit garçon. Quand Janty la prit, ses doigts sales laissèrent des traces sur les bords. Il l'observa un instant. Il avait deux possibilités : suivre Barbu et mener à ses côtés la vie pour laquelle il était né, ou renier toutes les convictions de son père et tourner le dos à son destin. Janty sentait son cœur brûler de colère. Plus que tout au monde, il voulait se venger. Et en regardant la carte du détective, il sut qu'il ne pourrait jamais accomplir ses rêves de revanche ainsi. Janty avait déjà fait son choix. Ses yeux lançant des éclairs, il déchira lentement la carte en deux. Wilma poussa un cri étouffé.

— Je ne crois pas que j'en aurai besoin, en fait, gronda le garçon d'un ton provocant. Je suis méchant. Méchant un jour, méchant toujours.

— Mais c'est un monstre! cria Wilma en désignant Barbu. Tu n'as quand même pas envie de lui ressembler?

— Au contraire, rétorqua Barbu, une main sur l'épaule de Janty. Tout le monde aime les mauvais garçons. Tu comprendras quand tu seras grande. Tully, Janty, allons-nous-en.

Sur ces mots, ils quittèrent rapidement l'atelier. Wilma ramassa les morceaux de la carte.

— Je n'arrive pas à croire qu'il ait fait ça, monsieur Lebon, dit-elle en secouant la tête.

— Voilà qui devient très ennuyeux, dit pensivement Théodore. Wilma, tu n'aurais pas dû venir. Être détective n'a rien d'un jeu.

— Je sais, monsieur Lebon, répondit Wilma qui triturait l'ourlet de son tablier tout en observant l'atelier. Ça alors! C'est un cadavre, là-bas?

— Ooh, marmonna l'inspecteur, il vaudrait mieux que tu ne voies pas ces choses-là. Tu es beaucoup trop petite pour ça.

— Je m'en fiche, inspecteur. Une fois, j'ai vu un chat mort, et j'ai même pas eu peur. En plus, il faut bien que je m'habitue aux cadavres, vu que je vais devenir détective, et tout.

— Quand bien même, intervint Théodore, il y a des choses que nous devons t'épargner. Inspecteur, puis-je vous dire un mot?

*

Wilma continua d'examiner la forme inanimée étendue sur le sol. Elle se dit qu'elle n'avait pas le temps d'avoir peur, car après tout, elle avait du pain sur la planche. Tandis que Théodore et l'inspecteur discutaient dans le couloir, elle fit quelques pas à l'intérieur de l'atelier pour farfouiller un peu. Pétrin, lui, était déjà parti explorer l'alléchante odeur de ragoût. La truffe collée au sol, il se mit à donner des coups de patte dans un objet tombé sous la cuisinière. Wilma se mit à genoux : on aurait dit la pointe d'une fléchette.

— Bien joué, Pétrin ! murmura-t-elle au beagle. Ça m'a l'air d'être un indice important. Nous devrions l'apporter à M. Lebon ! D'un autre côté, ajouta-t-elle en réfléchissant, je devrais peut-être essayer de trouver sa signification toute seule. Et comme ça, je montrerai à M. Lebon de quoi je suis capable, vu que je n'ai pas bien réussi à faire le petit truc pour écouter aux portes. Je vais le garder dans ma poche et je m'en occuperai quand nous serons rentrés chez Mme Ronchard.

Wilma plaqua alors une main sur sa bouche.

— Oh ! La lettre de Mme Ronchard ! J'ai complètement oublié !

Juste au moment où elle allait filer jusqu'à la poste, le détective revint vers elle, l'air grave.

— L'inspecteur et moi repartons à la Claire Chaumière.

Il nous faut mettre à jour le tableau d'enquête pour voir un peu où nous en sommes. Et tu vas venir avec nous.

— Oooh! répondit Wilma en ouvrant grand les yeux. Alors je vais vous aider à faire des déductions et des contemplations?

— Non, jeune fille, répondit sévèrement Théodore. Toi et moi, nous allons avoir une conversation sérieuse. Très, très sérieuse.

Oh! là, là! Je ne sais pas ce que vous en pensez, mais moi je trouve que ça sent les ennuis.

17. Des larmes qui piquent les yeux

Les idées fusaient dans la tête de Wilma. De toute évidence, la fléchette plumetée dans sa poche était un indice très important. Cependant, elle n'avait pas le temps de la contempler, de faire des déductions et de les retranscrire sur son tableau d'enquête. Elle ne savait plus où donner de la tête. Et surtout, plus l'heure avançait, plus elle se rendait compte qu'il lui restait toujours une lettre à poster et que cette tâche n'avançait pas d'un pouce. Et, forcée de suivre le détective Lebon et l'inspecteur, elle ne voyait pas de solution.

Soudain, les yeux de Wilma se mirent à briller.

— Une minute, chuchota-t-elle à l'oreille de Pétrin. Qu'est-ce qui est le plus urgent ? Me concentrer sur une affaire de fléchettes, de vol et de meurtre, ou poster une lettre stupide ? En plus, Mme Ronchard ne peut pas me punir si personne ne lui dit que j'ai fait une bêtise. Et une lettre qui se perd, ça arrive tout le temps. Pas vrai, Pétrin ?

Pétrin, qui souffrait d'une démangeaison tenace, se mit à secouer la tête avec un petit grognement.

— C'est exactement ce que je me disais, opina Wilma. Alors, si par hasard je perdais cette lettre sur le chemin de la maison de Mme Ronchard, ce ne serait pas la fin du monde, pas vrai ?

Sur ces mots, les deux compagnons pressèrent le pas pour rejoindre le plus grand et le plus sérieux détective de Cooper. C'est ainsi que, quelque part entre l'atelier de Visser et la frontière, la lettre de Mme Ronchard se retrouva jetée sous un groseillier où personne ne la retrouverait jamais. Quel heureux hasard !

— Je n'y comprends rien, Lebon, dit l'inspecteur Lecitron alors qu'ils approchaient du poste frontière. Barbu d'Anvers est méchant jusqu'au bout des ongles. Qu'est-ce que ça peut bien lui apporter, de recueillir ce jeune garçon ? Tout cela ne me dit rien qui vaille, il y a un truc qui cloche dans cette histoire.

Théodore sortit son laissez-passer de sa poche.

— Cet enfant sait sûrement quelque chose d'important, expliqua-t-il. En tout cas, c'est ce que pense Barbu, de toute évidence. Il veut le garder à portée de main pour

qu'on ne puisse pas lui poser de questions. Ah, Trevor !
Comment allez-vous ?

— Inspecteur, monsieur Lebon, répondit Trevor avec un
hochement de tête réglementaire. Donnez-moi vos laissez-
passer, que je leur ajoute un visa. Oh ! Mais je vois que c'est
votre dixième cette semaine ! Ce qui veut dire que vous
gagnez… Attendez, je vais vérifier avec les regardeurs…

Le bras émergea pour lui tendre un papier.

— Oooh ! s'exclama joyeusement Trevor. Un service
de couteaux à viande !

— Bonjour Trevor, intervint Wilma en s'approchant
avec un air officiel. Je n'ai pas de laissez-passer, mais
je suis avec eux. Vous allez bien ? Moi ça va, merci. Allez
viens, Pétrin.

— Pas de laissez-passer ? s'étrangla Trevor. Une
minute ! Tu ne serais pas la fille qui a fait des gestes et
qui a posé des questions ? Oh ! mes aïeux, non. Non, non
et non. Pas de laissez-passer ? Ça par exemple ! Moi qui
croyais avoir tout vu !

Un autre papier surgit de l'ouverture dans le mur, et
le bras l'agita furieusement jusqu'à ce que Trevor s'en
saisisse.

— J'en étais sûr : un Avis de Sacré-Toupet. Seuls les
plus effrontés en reçoivent. Vous n'irez nulle part.

Théodore se rapprocha rapidement de la loge.

— Trevor, intervint-il aussi calmement que possible,
il me semble que dix visas sur mon laissez-passer me

donnent également le droit d'emmener le visiteur de mon choix en Haut de l'île, n'est-ce pas ?

Un troisième papier arriva.

Oh zut, je crois qu'il a raison.

Signé : Kévin et Malcolm et Susan et Yann (Regardeurs officiels du contrôle des frontières)

Trevor fronça les sourcils.

— Mmm, ça tombe mal. Mais effectivement, monsieur Lebon, on dirait que vous avez raison.

— Bien, conclut Théodore avec un hochement de tête. Alors suis-moi, Wilma. Retournons en Haut.

Au moment où Wilma passait la frontière, elle ne put s'empêcher de décocher à Trevor un sourire qu'on pourrait qualifier d'insolent. Et Trevor jura en son for intérieur que la prochaine fois qu'il verrait cette fillette, il la ferait patienter plus longtemps que quiconque ne l'avait jamais fait. Elle allait voir ce qu'elle allait voir. Non mais.

De retour à la Claire Chaumière, Théodore était déterminé à se remettre immédiatement au travail.

— Aah! déclara-t-il alors qu'ils entraient tous dans son bureau. Madame Frisquet, du thé et des biscuits, s'il vous plaît.

Wilma jubilait intérieurement. Peut-être que lors de cette fameuse « conversation sérieuse », Théodore allait enfin lui demander de devenir son apprentie ? Elle ne voyait pas d'autre possibilité. Elle s'approcha du tableau d'enquête et s'entraîna à prendre une expression sérieuse. Elle vivait un moment capital et voulait avoir l'air prête. Pétrin, ayant remarqué le comportement solennel de Wilma, se lécha le museau et s'assit bien droit.

Lorsque Mme Frisquet entra dans le bureau, l'inspecteur Lecitron rougit légèrement et marcha jusqu'à la cheminée pour s'y appuyer. Cela peut sembler bizarre, mais il avait lu dans un magazine qu'un gentleman fait meilleure impression s'il s'attache à adopter une attitude masculine et regarder dans le lointain. Théodore jeta un coup d'œil rapide à son corpulent collègue. Un étrange sourire apparut sur ses lèvres, mais il ne dit mot. Parfois, il vaut mieux laisser ses amis se dépêtrer tout seuls de leurs problèmes.

— Un message du musée, monsieur Lebon, dit la gouvernante sans un regard pour l'inspecteur. Je l'ai mis sur le plateau.

— Merci, madame Frisquet.

— Vous avez de nouvelles bottes en caoutchouc, madame Frisquet ?

Sous ses deux bonnets à pompon, Mme Frisquet leva les yeux vers l'inspecteur, qui se tenait d'une drôle de manière, puis elle regarda ses bottes et répondit :

— Non.

C'est là qu'elle aperçut Wilma et Pétrin. Comme elle se méfiait tout particulièrement des petites filles très déterminées, elle fit claquer sa langue pour marquer sa désapprobation. Elle se mit ensuite à marmonner dans sa barbe des mots que je ne vais pas vous répéter ici. Dès qu'elle eut quitté la pièce, l'inspecteur expira bruyamment et cessa de rentrer le ventre. Il s'approcha lentement du bureau de Théodore, qui avait fini de lire la lettre.

— Le conservateur veut nous voir un peu plus tard dans l'après-midi, dit le détective. Il attend nos dernières informations sur l'affaire. Il va falloir qu'on prépare un rapport. Oh… vous avez… mangé les deux croustilles sucrées, Lecitron. Une fois de plus.

— J'aurais pourtant juré qu'elles étaient neuves, ces bottes, marmonna l'inspecteur, le regard errant en direction de la porte.

— Monsieur Lebon ! s'écria Wilma, qui ne pouvait pas se retenir une seconde de plus. Moi, je pense que c'est comme pour M. Patachou, le pâtissier, la fois où il a fait des gâteaux pour Mme Ronchard. Il ne voulait pas les préparer tant que Mme Ronchard ne les avait pas commandés, et pourtant elle les avait déjà commandés, enfin ce que je veux dire, c'est que quelqu'un a bien dû demander au faussaire de fabriquer le faux diamant, parce que personne ne se met à préparer un gâteau tant que personne ne l'a demandé…

Théodore leva une main pour arrêter le flot de paroles et désigna un tabouret.

— Du calme, Wilma. J'ai quelque chose de très sérieux à te dire. Malgré mes efforts, je n'arrive visiblement pas à me débarrasser de toi.

— Ah oui, opina Wilma, parfois je suis un peu collante.

Elle ignora le tabouret et se mit à sautiller devant le bureau de Théodore.

— Mais c'est parce qu'un jour, dans une interview, vous avez dit qu'un grand détective devait toujours rester déterminé et supervérant.

— Persévérant, corrigea Théodore. En effet, tu appliques ce conseil à la lettre. Mais le problème, c'est que tu nous suis partout, l'inspecteur et moi. Et ce n'est pas ta place. Tu es l'employée de Mme Ronchard, et non mon apprentie.

— Oui, bien sûr, pas encore, insista Wilma. Mais vu que je m'applique à faire tous les petits trucs du…

— Wilma, l'interrompit le grand détective, il faut que cela cesse. L'inspecteur et moi sommes chargés d'une enquête très importante et nous ne pouvons pas nous permettre de t'avoir dans nos pattes à n'importe quel moment.

Wilma se tourna vers l'inspecteur à la recherche d'un soutien, mais celui-ci avait la tête baissée comme s'il voulait éviter son regard.

— Eh bien, c'est réglé, ajouta Théodore en sortant son

carnet. Je ne veux plus que tu nous suives partout, Wilma. C'est compris ?

Ce n'était pourtant pas dans sa nature de garder le silence, mais à ce moment-là, Wilma n'arrivait plus à trouver ses mots. Elle avait l'impression que sa poitrine s'était remplie de plomb et elle avait une grosse boule désagréable dans la gorge. Théodore se rendit alors compte qu'il lui avait fait de la peine.

— Je t'aurais bien offert une croustille sucrée avant que tu ne partes, mais malheureusement, dit-il en jetant un regard de biais à son collègue, l'inspecteur n'en a pas laissé une seule.

— C'est pas ma faute, murmura l'inspecteur, les yeux fixés sur ses chaussures. Un réflexe.

— Ce n'est rien, dit Wilma à voix basse. De toute façon, je n'ai pas faim.

— Bien, bien, dans ce cas, dit Théodore en faisant rouler sa moustache d'un air gêné, tu peux y aller. Le

conservateur veut que je lui prépare un rapport qui récapitule ce que nous savons.

Wilma pencha la tête sur le côté et fronça le nez.

— Récapi-quoi ?

— Récapituler, répéta le grand détective, les pouces calés dans les poches de son gilet. C'est comme faire un résumé, mais en plus sérieux. Le conservateur va arriver dans quelques heures à peine. Il m'a demandé de lui préparer un rapport sur les détails découverts jusqu'à présent, les indices et les suspects, ce genre de choses. Voilà... donc je suis très occupé et...

— Est-ce que c'est comme à l'orphelinat, la fois où j'ai dû écrire le nombre de pantalons qui avaient disparu le jour des lessives ? demanda Wilma pour gagner du temps.

Théodore la dévisagea.

— Pas vraiment, répondit-il après un court silence. Mais après tout, en termes de résumé de ce qui s'est passé, j'imagine que ces deux choses ont une vague ressemblance.

— Très vague, ajouta l'inspecteur en se penchant pour caresser Pétrin.

— Oh, attendez, vous avez parlé de récapituler quand vous avez résolu l'énigme de la disparition des perruques ! s'écria Wilma avant d'attraper son Porte-Indices. Je dois l'avoir là...

— Wilma, interrompit doucement Théodore.

Il se leva de sa chaise et s'approcha de la fillette.

— Il faut que tu rentres chez toi, maintenant.

Le détective très sérieux et mondialement célèbre regarda la petite fille très déterminée qui se tenait devant lui. Les larmes lui piquaient les yeux et elle faisait des nœuds à son tablier. Il lui posa une main sur l'épaule.

— Tu veux vraiment devenir détective, n'est-ce pas ?

Wilma leva les yeux vers son héros.

— C'est la seule chose que je désire, monsieur Lebon, chuchota-t-elle. Pas seulement résoudre des énigmes, vous savez. Mais aussi pour découvrir d'où je viens. Et puis…

Sa voix se brisa.

— Et on ne peut qu'admirer ta détermination, ajouta Théodore d'un ton bourru, mais vraiment, c'est mieux comme ça.

— Allons, allons, dit tristement l'inspecteur devant le visage de Wilma. Moi, à chaque fois que je sens les larmes monter, j'essaie d'avaler ma salive trois fois de suite. Très efficace.

— Eh bien, Wilma, reprit sérieusement Théodore, il est temps de nous serrer la main et de nous dire au revoir.

— Au revoir ? demanda Wilma, hébétée.

Mais avant qu'elle n'ait pu tout à fait comprendre la situation, la main de Théodore s'était glissée dans la sienne et déjà, elle sortait de son bureau, peut-être pour la dernière fois. Wilma n'arrivait pas à y croire, et comme c'en était vraiment trop pour elle, elle avala sa salive six fois de suite (pour être sûre).

18. Araignées, fléchette et croustilles

Il faut toujours éviter les coins sombres, tout le monde vous le dira. Aussi, quand Wilma et Pétrin, malheureux et déconfits, gravirent d'un pas pesant les marches du Donjon Hurlant, ils auraient dû se méfier d'un coin sombre en particulier. Car Mme Ronchard s'y tenait à l'affût, tel un prédateur affamé…

Le cœur lourd, Wilma referma la porte d'entrée derrière elle. Le détective Lebon avait été on ne peut plus clair : elle n'avait pas le droit d'aider à résoudre l'affaire. À chaque opportunité de faire ses preuves, elle avait échoué. Wilma retira son chapeau et repoussa les mèches de cheveux qui dansaient devant ses yeux. Elle regarda l'étiquette à bagage dans sa main. C'était le seul indice de son passé. La seule énigme qu'elle aurait vraiment voulu résoudre.

— Un jour, je te jure que je *serai* détective, Pétrin,

murmura-t-elle. Je n'ai pas le choix. M. Lebon a raison, je suis très déterminée, et peut-être que si je…

Mais Wilma n'eut pas le loisir de terminer sa phrase. Soudain, deux mains avides surgirent de l'ombre de la pendule cassée du couloir. Alors que sa maîtresse la saisissait par la gorge, Wilma essaya de crier.

— Wilma Tenderfoot ! siffla Mme Ronchard en resserrant sa prise. C'est la goutte d'eau qui fait déborder le vase. Il est temps que tu sois punie : tu vas devoir effectuer la pire de toutes les corvées.

— Mais, madame Ronchard, haleta Wilma, j'étais seulement allée poster votre lettre !

— Trop tard pour les excuses ! cria Mme Ronchard, les joues tremblotantes de rage. Tu vas aller dans le salon et ramasser toutes les araignées que tu trouveras jusqu'à ce que tu en aies assez pour me faire une soupe de pattes d'araignées !

Elle précipita Wilma dans le salon. La fillette trébucha et, alors qu'elle se remettait sur pied, elle lâcha son étiquette à bagage. Mme Ronchard se jeta dessus.

— Qu'est-ce que c'est que ça ?

— C'est à moi ! cria Wilma. Rendez-la-moi !

— *Rendez-la-moi ?* aboya Mme Ronchard avant de lui donner un grand coup sur la tête. Ce n'est pas une employée qui va me donner des ordres ! Je la garde. Maintenant, mets-toi au travail, c'est ta dernière chance. Et pas de discussion, ou je te donnerai la raclée que tu mérites !

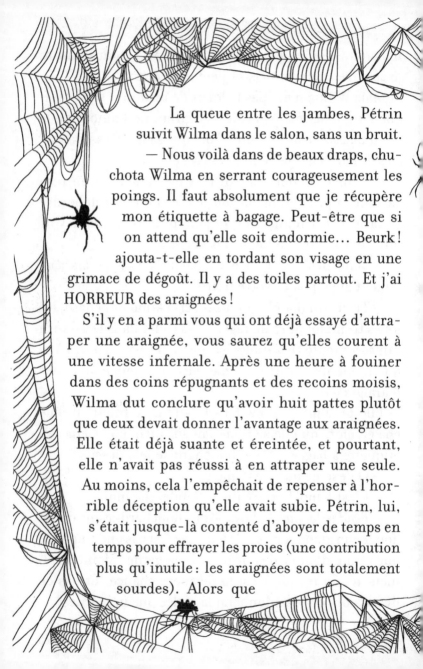

La queue entre les jambes, Pétrin suivit Wilma dans le salon, sans un bruit.

— Nous voilà dans de beaux draps, chuchota Wilma en serrant courageusement les poings. Il faut absolument que je récupère mon étiquette à bagage. Peut-être que si on attend qu'elle soit endormie… Beurk! ajouta-t-elle en tordant son visage en une grimace de dégoût. Il y a des toiles partout. Et j'ai HORREUR des araignées!

S'il y en a parmi vous qui ont déjà essayé d'attraper une araignée, vous saurez qu'elles courent à une vitesse infernale. Après une heure à fouiner dans des coins répugnants et des recoins moisis, Wilma dut conclure qu'avoir huit pattes plutôt que deux devait donner l'avantage aux araignées. Elle était déjà suante et éreintée, et pourtant, elle n'avait pas réussi à en attraper une seule. Au moins, cela l'empêchait de repenser à l'horrible déception qu'elle avait subie. Pétrin, lui, s'était jusque-là contenté d'aboyer de temps en temps pour effrayer les proies (une contribution plus qu'inutile : les araignées sont totalement sourdes). Alors que

Wilma faisait une pause, il se
mit à arpenter la pièce en reniflant,
la truffe au sol, dans l'espoir de déloger
un peu plus de gibier. Il allait abandonner
lorsqu'une araignée particulièrement dodue
et velue entra dans son champ de vision. Il
redressa la queue, son dos se raidit et, d'un
bond surexcité, il se jeta sur un guéridon où
étaient posées une plante ainsi qu'une photographie : elles s'écrasèrent au sol et le cadre
éclata en morceaux.

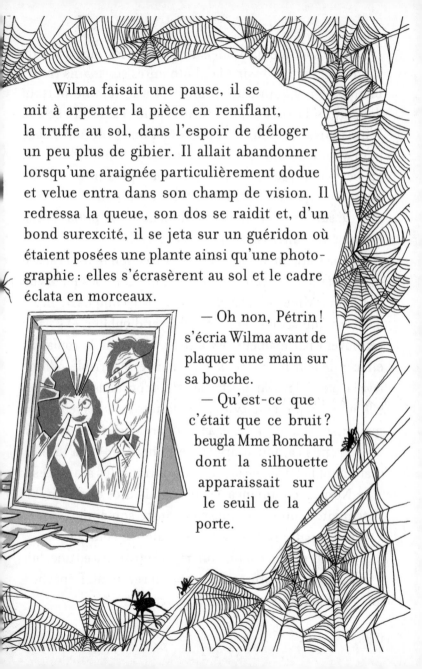

— Oh non, Pétrin !
s'écria Wilma avant de
plaquer une main sur
sa bouche.
— Qu'est-ce que
c'était que ce bruit ?
beugla Mme Ronchard
dont la silhouette
apparaissait sur
le seuil de la
porte.

Wilma s'était déjà attelée à ramasser les morceaux de verre du cadre. Elle prit la photo entre ses mains tremblantes. On y voyait un homme et une femme portant des habits fastueux, joue contre joue, riant aux éclats. Wilma plissa les yeux et rapprocha l'image de son visage pour y voir de plus près. On aurait dit Mme Ronchard, en beaucoup plus jeune et beaucoup plus mince. Mais qui était le jeune homme souriant à ses côtés ?

— Je suis désolée, madame Ronchard, balbutia Wilma lorsque sa maîtresse surgit derrière elle.

Wilma s'attendait à une bonne correction mais, l'espace d'un instant, en voyant la photographie entre les mains de la fillette, Mme Ronchard sembla se décomposer. Il y a des gens qui passent leur vie à essayer d'oublier, et s'ils se retrouvent par malheur nez à nez avec ce qu'ils voulaient effacer de leur mémoire, le choc peut être terrible. Wilma leva la tête. S'il n'avait pas fait aussi sombre dans cette pièce, elle aurait pu jurer qu'il y avait des larmes dans les yeux de sa maîtresse. Mais c'était tout à fait impossible, n'est-ce pas ?

— Prends ça, murmura Mme Ronchard, et va immédiatement la faire encadrer. Tu as attrapé des araignées ?

— Non…, commença Wilma, mais à ce moment-là, Pétrin vint frotter son museau contre son amie.

Sous sa patte se trouvait une araignée écrasée.

— Je veux dire que moi, non, mais Pétrin en a eu une, lui.

— Alors tu prépareras ma soupe en revenant. Dépêche-toi. Nous n'avons pas toute la journée.

Mme Ronchard rendit le cadre brisé à Wilma et quitta lentement la pièce en marmonnant à chaque pas :

— Abandonnée… Pris tout l'argent… Avait promis de revenir…

— Ça alors ! s'exclama Wilma. Qu'est-ce que c'est que cette histoire ? Si j'essayais toujours d'être détective, j'en déduirais que ce type-là doit être une fripouille de la pire espèce, ajouta-t-elle en tapotant la photographie. Mais bon, c'est du passé, tout ça. Je suis l'employée de Mme Ronchard. En tout cas, pour l'instant. Bien joué pour l'araignée, Pétrin ! Je vais la ranger dans ma poche.

Wilma se pencha pour détacher l'araignée écrasée de la patte de Pétrin. Elle l'attrapa entre le pouce et l'index et, avec une grimace, ouvrit la poche de son tablier pour l'y laisser tomber.

— Pétrin ! La fléchette, c'est toujours moi qui l'ai ! Je sais que M. Lebon m'a dit de ne plus essayer de l'aider, mais il faut absolument que je lui donne ça : c'est peut-être un indice vital !

— À ce jour, commença Théodore, nous n'avons aucun suspect sérieux. J'attends les résultats d'analyse du Dr Augrenu. Le poison qui a tué Visser devrait nous donner plus d'indices. J'allais d'ailleurs me rendre au laboratoire. Voulez-vous m'y accompagner ?

Théodore se tenait devant le portail de la Claire Chaumière. Le conservateur et son assistante, miss Mascara, étaient assis dans un élégant attelage couleur chocolat arrêté au bord de la route.

— Impossible, rouspéta le conservateur, les deux mains sur sa canne. Je suis empêtré jusqu'au cou dans les paperasses. C'est pour cela que nous ne descendons pas de voiture, nous n'avons pas une minute à perdre. Bref, ce que vous voulez dire, Lebon, c'est que vous ne savez pas grand-chose. Ce n'est pas ce que j'attendais d'un détective de votre trempe. La réputation du musée est en jeu !

— S'il y a une personne qui peut résoudre cette affaire, c'est bien Théodore P. Lebon ! s'écria l'inspecteur en descendant l'allée derrière le célèbre détective, une assiette de croustilles à la main.

— Allons, inspecteur, dit Théodore, qui s'était mis à bourrer sa pipe de tabac au romarin. Le conservateur est en droit de s'inquiéter. Mais si nous parvenons à découvrir qui a assassiné Visser, alors je pense que nous tiendrons notre homme.

— Ou femme, intervint miss Mascara par-dessus l'épaule du conservateur.

Elle était vêtue d'une robe violette très ajustée, avec les poignets blancs et un décolleté plongeant orné d'un nœud tape-à-l'œil. En son centre se trouvait une broche couleur rubis parfaitement assortie à ses ongles vernis. Théodore en oublia un instant sa pipe.

— En effet, répondit-il enfin. Mais cela me semble assez improbable.

— Suggérez-vous qu'une femme est incapable du pire, monsieur Lebon ? insista l'assistante avec assurance en croisant lentement ses jambes.

— Fait chaud, soudain, dit l'inspecteur en tripotant son col. Je devrais desserrer ma cravate.

— Au contraire, miss Mascara, reprit Théodore sans prêter attention à son ami. Celui qui sous-estime une femme court à sa perte.

Miss Mascara dévisagea le détective et laissa un petit sourire moqueur danser sur ses lèvres.

— Vous êtes donc aussi perspicace que bel homme, monsieur Lebon, ronronna-t-elle.

— Drôlement chaud aujourd'hui, toussota Lecitron. N'est-ce pas ?

— Ça suffit, miss Mascara, aboya le conservateur. Cela ne change rien à la situation, je suis très déçu. Je veux voir des progrès. Redoublez d'efforts, Lebon, je n'en attends pas moins de vous ! Et j'aime autant vous prévenir que si je n'obtiens pas de résultats très vite, je confierai cette enquête au capitaine Brock et à l'armée.

— Voyons, le capitaine Brock n'est pas détective ! tempêta l'inspecteur Lecitron.

— Mais au moins, il donne des résultats, lui ! cria le conservateur. Des résultats que vous n'êtes pas en mesure de me fournir pour l'instant !

— J'en ai, moi, des résultats ! s'écria une petite voix haletante en provenance de la route derrière eux. Et avant que je me fasse gronder, monsieur Lebon, il faut que vous sachiez que je ne vous poursuis pas du tout, mais j'ai quelque chose que j'aurais dû vous donner tout à l'heure. C'est Pétrin qui l'a trouvé à l'atelier. Je voulais faire des déductions toute seule avant de vous le donner, mais je crois que je n'ai plus le droit, maintenant. Et comme c'est un indice vital et tout, il faut absolument que je vous le donne. Bref, le voilà.

Elle tendit sa main et, au moment où elle l'ouvrit, miss Mascara poussa un cri d'effroi.

— Une araignée ? s'étonna le conservateur.

— Aaah ! cria Wilma avant de rejeter l'horrible chose écrasée au fond de sa poche. Non, pas ça. Ça. C'est un morceau de fléchette.

— Fais-moi voir ça, dit Théodore en s'avançant rapidement pour observer l'objet avec sa loupe. Regardez, monsieur le conservateur. Quelques plumes, une tige en bois et une pointe. C'est une fléchette à sarbacane. De fabrication grossière.

— Mais efficace, commenta le conservateur qui saisit la fléchette pour l'examiner.

— Donc, dit l'inspecteur en se grattant le menton, quelqu'un a tiré sur Visser avec une sarbacane... Probablement pour éviter d'être vu. Mais d'où ?

— Il y avait une grille d'aération, dit Théodore. En haut du mur, à droite. De là, l'angle aurait été parfait pour tirer. Et cela change tout : désormais, nous avons deux agresseurs : celui qui a torturé Visser — et là, je commence à reconnaître les manières de Barbu d'Anvers — et celui qui l'a empoisonné.

— Alors une personne est entrée par la porte pendant qu'une autre passait par le conduit d'aération ! intervint Wilma. Ce n'est pas du tout une déduction, ni rien, s'empressa-t-elle d'ajouter. Je suis trop occupée à aller faire encadrer cette photographie pour avoir le temps de déduire. C'est Pétrin qui a cassé le cadre. Mme Ronchard m'a envoyée le faire réparer.

— Mme Ronchard ? demanda le conservateur en plissant les yeux.

— C'est mon employeur, là, expliqua Wilma en la désignant sur la photographie. Enfin, pour être honnête, elle ne ressemble plus vraiment à ça aujourd'hui. Quoi qu'il en soit, je ne vais plus faire que mes corvées, à partir de maintenant, monsieur Lebon. Mais quand même, je parie que si vous remontez ce conduit, vous trouverez tout un paquet d'indices !

— Une déduction élémentaire, Wilma, dit Théodore. Mais un tel conduit peut avoir de nombreux débouchés. Regardez, monsieur le conservateur. La plume est bleu pâle, mouchetée d'or. Très inhabituel. Un excellent indice.

Il fit une pause pour s'éclaircir la gorge.

— Beau travail, Wilma.

Wilma rosit de plaisir. Elle avait au moins réussi à trouver un indice. Même si c'était plutôt à Pétrin que revenait cette découverte – elle fit d'ailleurs un clin d'œil reconnaissant au beagle. Plus important encore, le détective Lebon était content d'elle. Elle allait enfin pouvoir lui montrer qu'elle ferait une excellente apprentie !

Le conservateur jeta un regard de dégoût à Wilma du haut de son nez boudiné, et la fillette effrontée soutint son regard. Enfin, il reposa la fléchette sur l'assiette de croustilles que l'inspecteur Lecitron avait laissée sur le rebord de l'attelage.

— Oui, très bien, dit-il. Je suppose que l'on peut dire qu'il y a du nouveau. Mais cela ne nous donne pas notre coupable, Lebon !

— Malgré les efforts de cette jeune fille, murmura miss Mascara.

En disant cela, la séduisante assistante examina Wilma de haut en bas, ce qui mit la fillette très mal à l'aise. Elle n'avait pas l'habitude de fréquenter les jolies dames ; elle était plus souvent entourée de sorcières et de mégères. Wilma considéra sa propre tenue. Son tablier était tout sale et chiffonné, et une touffe d'herbe dépassait d'une de ses chaussettes. Devant le regard dédaigneux de miss Mascara, elle se justifia d'un ton insolent :

— J'étais en train d'attraper des araignées.

— Soyez rassuré, monsieur le conservateur ! intervint l'inspecteur avec enthousiasme. Maintenant que nous disposons de cette fléchette, Lebon va vous régler cette affaire en deux coups de cuillère à pot ! Il va découvrir comment elle a été fabriquée, d'où elle vient et tout le reste. Cette fléchette va nous donner des réponses. Vous allez voir !

— Non, Pétrin, non ! s'écria soudain Wilma.

Tandis qu'ils se tenaient tous là à discuter, une odeur de croustille sucrée était venue chatouiller les narines du chien débrouillard. Il s'était alors approché du bord de l'attelage avant de grimper sur la plate-forme pour avaler le biscuit abandonné… et faire disparaître par la même occasion la fléchette brisée qui se trouvait à côté. Pétrin venait de manger la preuve.

— Mais pourquoi, gémit Wilma, pourquoi est-ce que, à chaque fois que j'essaie de faire les choses comme il faut, ça finit par mal tourner ?

Évidemment, personne n'avait la réponse à cette question.

19. Ne jamais faire confiance
aux grandes personnes

Parfait ! déclara Barbu. Je pense que ces couleurs te vont à merveille.

L'air déprimé, Janty se tenait debout sur une caisse, vêtu d'un short vert bouteille et d'un pull-over jaune pâle, sa crinière de boucles brunes lui retombant devant les yeux.

— Vous voudrez bien les mettre avec les autres sur la pile ! hurla Barbu au vendeur qui croulait déjà sous le poids d'un monceau de vêtements. Allez, va te changer, Janty. Ensuite, nous irons t'acheter une glace. Ou un milk-shake. Enfin, ce que les jeunes d'aujourd'hui aiment. Tully, qu'est-ce que ça aime, les jeunes d'aujourd'hui ?

— Euh… fumer le cigare, monsieur Barbu ?

Barbu regarda longuement son homme de main.

— Fumer le cigare, marmonna-t-il en secouant la tête.

Vraiment, je me demande pourquoi je continue à te poser des questions.

Le centre commercial Bravoura était le grand magasin le plus fantastique du Haut. C'était une bâtisse en forme de guimauve torsadée, tout en verre, du sol aux piliers et des comptoirs aux tiroirs-caisses. On pouvait se tenir au deuxième étage et voir ce qui se passait au cinquième aussi bien qu'au fin fond des sous-sols. Barbu avait emmené Janty au rayon des vêtements pour enfants situé au troisième étage, juste derrière la Fontaine de Fizz. Cette dernière projetait de temps en temps des jets de sirop sur les passants, sans prévenir. Tully venait juste de se faire asperger par un mélange particulièrement collant de framboise et de mélasse, et il était affairé à gratter les restes poisseux qui s'étaient glissés dans ses narines. C'était le genre d'endroit joyeux que Barbu avait en horreur, mais il savait parfaitement ce qu'il faisait et il se tenait à son plan. S'il réussissait à charmer l'enfant, il obtiendrait ce qu'il voulait : le nom du mystérieux commanditaire de la fausse pierre de Kastoran.

En règle générale, les enfants ne devraient jamais faire confiance à une grande personne qui veut leur acheter des tas de cadeaux. Les grandes personnes sont des créatures très égoïstes, même si elles ont des choses dont les enfants peuvent à peine rêver, comme une carte de crédit. Alors, quand elles se mettent soudain à vous acheter tout ce dont vous avez envie, sans raison, c'est souvent qu'elles ont une idée derrière la tête. La plupart du temps, c'est simplement pour vous faire taire, mais parfois, comme ici, leur but véritable est beaucoup plus terrible.

Barbu posa un bras sur l'épaule de Janty et se mit à susurrer :

— Je sais bien que ces babioles ne compenseront jamais la terrible perte que tu as subie, mais si je peux faire quelque chose pour toi… quoi que ce soit…

Il laissa sa phrase en suspens, détourna la tête et fit mine de renifler.

— Ton père était un homme bon, et un grand faussaire. Le meilleur. Si seulement il existait un moyen de poursuivre son œuvre, d'honorer sa mémoire… peut-être pourrions-nous organiser une cérémonie… pour tous ceux qui le connaissaient. Mais c'est impossible. C'était un homme tellement secret. Un des aléas de la profession, je suppose… mais si seulement nous pouvions trouver une liste de ses clients… si seulement il existait, oh, je ne sais pas… un carnet de commandes peut-être…

Il se retourna vers Janty. C'était la première fois que le garçon entendait quelqu'un parler si affectueusement de son père, et ses yeux gris pâle s'embuèrent de gratitude.

— Alors c'est vrai ? Vous aimiez bien mon père ? demanda-t-il.

— Oh ! s'exclama Barbu. Si je l'aimais bien ? Mais je l'ADORAIS ! Un homme si talentueux ! Il pouvait fabriquer tout à partir de rien !

— Qu'est-ce qu'il a fabriqué pour vous ? reprit Janty.

— Ce qu'il a fabriqué pour moi ? répéta Barbu, confus. Ah, ce qu'il a fabriqué pour moi ! Eh bien, il a fabriqué, euh... il a fabriqué... non, je n'ai pas la force d'en parler, c'est trop douloureux ! Mais l'image est restée gravée dans mon esprit. Oui, ça y est, je le revois, maintenant. Une drôle de forme, avec un truc sur le dessus. Superbe.

— Mon père voulait que je devienne faussaire, moi aussi, dit Janty. Il a essayé de m'apprendre tout ce qu'il savait avant de...

Mais les mots se coincèrent dans sa gorge et son menton retomba sur sa poitrine.

— Je n'arrive pas à croire que quelqu'un l'a tué ! Qui serait assez horrible pour avoir fait ça ? Et pourquoi ?

— Là, là, dit Barbu avec une moue consolatrice. Il faut être fort. Ton père nous manque à tous les deux. TERRIBLEMENT. Il serait bien sûr ravi de savoir que c'est moi qui m'occupe de toi. D'ailleurs, nous pouvons remercier le ciel d'être arrivés à temps pour te sauver des griffes de ce fouineur de Théodore P. Lebon. Un homme affreux, n'est-ce pas, Tully ?

— Eh bien moi, je ne l'ai pas souvent rencontré, répondit Tully, un doigt sur ses lèvres pour mieux réfléchir. Mais pour être honnête, je n'ai pas trouvé que… Aouch !

Le pommeau argenté de la canne de Barbu s'abattit violemment sur le front de Tully.

— N'y pensons plus, cracha Barbu. Tout ce qui compte maintenant, Janty, c'est que ta famille, c'est nous. Et dans une famille, on partage tout. Ce qui est à moi est à toi. Sauf ce qui est dans le placard bleu dans mon bureau, ça, je t'interdis d'y toucher. Mais le reste, pas de problèmes. Et ce qui est à toi est à moi. Tu disais donc que ton père avait un carnet de commandes ?

— J'ai dit ça ? renifla Janty en séchant ses larmes. Je ne me souviens pas.

— Eh bien, souviens-toi un peu mieux, répliqua Barbu d'un ton plus dur. C'est très important. Ton père aurait voulu que je protège ses secrets, tout comme il m'a fait confiance pour te protéger, toi. De plus, ajouta-t-il avec un éclat rusé dans les yeux, j'ai des raisons de penser que le nom de celui qui a tué ton père figure dans ce carnet.

— C'est vrai, mon père avait un carnet de commandes, répondit enfin le garçon, assommé par cette révélation soudaine. Mais il m'a dit de le cacher et de ne jamais le montrer à personne.

— Mais ÉVIDEMMENT, cela ne s'applique pas à moi ! s'esclaffa Barbu avant de donner un coup de coude à Tully. Moi ! Ha ha ha ! Non, ce qu'il a voulu dire, c'est qu'il ne faut pas le montrer aux gens à qui tu ne fais pas confiance. Et moi, tu me fais confiance, n'est-ce pas, Janty ?

Petit à petit, le brigand se rapprochait et ses mots s'insinuaient dans l'esprit du garçonnet, tels des serpents.

— Et tu veux retrouver celui qui a tué ton père...

Janty baissa les yeux vers les nombreux sacs qu'il portait.

— C'est vrai que vous m'avez acheté tous ces habits... Et je veux vraiment retrouver celui qui a fait ça. Plus que tout au monde.

— Oui, susurra l'homme au cœur noir, bien sûr.

— Et vous m'avez sauvé des mains de la police.

— Oui, murmura Barbu, les yeux fermés, la tête inclinée. Tout à fait.

— Et si mon père vous a demandé de vous occuper de moi, alors j'imagine qu'il devait vous faire confiance.

— C'est évident, Janty. Il me faisait entièrement confiance.

— Très bien, dans ce cas-là, déclara Janty en relevant la tête, le carnet de commandes de mon père se trouve dans un bâtiment en bordure de Triste-sous-Cieux, en Bas de l'île. Mais je l'ai caché. Et je suis le seul à savoir où il est.

— Alors nous devons le retrouver avant qu'il ne tombe entre de mauvaises mains, mon garçon, s'empressa d'ajouter Barbu, triomphant. Ce serait intolérable !

Et sur ces mots, ils quittèrent rapidement la boutique, Janty dans l'ombre de la cape de Barbu.

20. Wilma se fait un ennemi mortel

Les bras croisés, Wilma se tenait dans la salle d'attente de la grande boutique d'encadrement de miss Dechrista. Un reçu à la main, elle était plongée dans ses pensées. De temps en temps, un soupir s'échappait de la gueule de Pétrin, assis à ses côtés, la tête baissée. Ces deux-là s'étaient attiré de gros ennuis, et ils le savaient.

— Vu qu'on a décidément tout flanqué par terre cette fois-ci, commença Wilma en tapotant son reçu contre ses dents de devant, il faut à tout prix qu'on trouve le moyen d'arranger les choses.

Pétrin laissa pendouiller sa tête sur le côté, penaud, mais ce n'était pas évident pour lui d'avoir des regrets : cette croustille valait vraiment le coup !

— C'est vrai quoi ! Pendant une minute, M. Lebon était très impressionné, ça se voyait. Mais maintenant, il ne voudra jamais de moi comme apprentie si je ne répare pas mes bêtises ! gémit Wilma, juste avant que son regard ne s'éclaire. Ce qu'il faut, c'est que je retrouve mon tableau d'enquête, parce qu'il faut y ajouter la fléchette. Même si tu l'as mangée.

Wilma se tourna vers Pétrin. Le chien s'était raidi, une patte levée en direction de la ruelle devant la boutique.

— Pétrin ?

Wilma suivit son regard et aperçut alors Janty, serré de près par Barbu et Tully. Le petit groupe se dirigeait droit vers la boutique d'encadrement. Wilma étouffa un cri.

— Tu te souviens des petits trucs de M. Lebon ? Numéro trois : « Espionner les suspects et, si possible, les suivre discrètement » ! C'est notre dernière chance d'arranger les choses ! Il faut qu'on les suive, Pétrin, on reviendra chercher la photo plus tard.

Son chien émit une sorte de grognement qui ressemblait étrangement à « d'accord », et les deux compagnons se mirent en route.

De toute évidence, Janty se dirigeait vers le Bas de l'île. Le dépôt de charrettes était situé à quelques minutes à pied de Vieux-Croûton, le village près de la frontière. Le raccourci qu'avait emprunté Janty depuis le centre commercial de Bravoura les avait fait passer devant la boutique d'encadrement. Heureusement pour Wilma et Pétrin, le dépôt était toujours très animé en début de soirée, plein de gens venus prendre une charrette pour les ramener en Bas. Nos deux amis purent donc se fondre dans la foule sans perdre de vue leurs cibles. Barbu ne pouvait supporter l'idée qu'on le voie à bord d'une charrette publique, et il alla donc réserver son fiacre personnel, garé sur la gauche du dépôt. Lorsqu'elle les vit monter à l'intérieur, Wilma se rendit compte qu'elle devait prendre une décision, et vite.

— Si je me souviens bien, chuchota-t-elle, dissimulée derrière un âne, pour l'espionnage des suspects, il faut souvent se baisser et ramper. Et se déguiser ne peut pas faire de mal non plus. Regarde là-bas, il y a des sacs de pommes de terre. On va se les mettre sur la tête, et on pourra faire semblant d'être des sacs de légumes si jamais la situation devient hasardeuse. C'est ce que disent les détectives quand les choses tournent au vinaigre, j'ai appris ça dans le dictionnaire de M. Lebon.

Wilma se glissa jusqu'aux sacs et défit les liens pour les vider de leur contenu. Elle les tira ensuite jusqu'à la charrette la plus proche et se servit d'une petite pioche accrochée au hayon pour percer des trous pour les yeux. Elle mit un sac sur la tête de Pétrin, puis l'installa à l'arrière de la charrette.

— Ne bouge plus ! souffla-t-elle alors qu'elle enfilait l'autre sac. Ils sont juste devant nous. Quand on arrivera en Bas, on n'aura plus qu'à descendre pour recommencer à les suivre. Mais pour l'instant, fais semblant d'être une pomme de terre.

Wilma monta à bord et Pétrin émit un grognement de

mépris. Il ne s'était jamais fait passer pour une patate et n'arrivait pas à se débarrasser de l'idée qu'imiter un légume tout crotté était indigne d'un chien de son calibre. Mais c'était tout de même bien sa faute si la fléchette avait disparu, alors il garda ses commentaires pour lui.

Vingt minutes plus tard, le fiacre et la charrette arrivèrent en Bas de l'île, au village de Triste-sous-Cieux. Toujours vêtus de leurs sacs, Wilma et Pétrin se glissèrent hors du véhicule et se dissimulèrent derrière un tonneau. Le soir tombait. Alors que des nuages sombres s'accumulaient à l'horizon, Janty mena Tully et Barbu dans un cimetière en bordure du village. Le soleil couchant projetait une lumière bleutée sur les trois silhouettes qui se frayaient un chemin entre les pierres tombales ; ils ne faisaient plus qu'un avec les ombres. Ils se dirigèrent vers un moulin à vent abandonné, où seuls les corbeaux se rassemblaient encore au crépuscule. La tête de Wilma surgit derrière une tombe, et la fillette observa ses cibles par les trous de son sac.

— Regarde, Pétrin, ils vont entrer dans ce vieux bâtiment, chuchota-t-elle. C'est intéressant. Quand M. Lebon a résolu l'énigme des moteurs fondus, il a dit qu'en règle générale, quand on se dirige vers un endroit abandonné, c'est qu'on prépare un mauvais coup. On va devoir espionner très attentivement. Je crois qu'on est sur le point de découvrir un nouvel indice.

Pétrin avait du mal à suivre la trace des méchants depuis l'intérieur d'un immense sac à pommes de terre, mais il essaya tout de même de hocher la tête. Hélas, il ne réussit qu'à se coincer une oreille dans un des trous pour les yeux. La soirée allait être longue.

Lorsque Janty entra par la porte cassée du moulin, suivi de Barbu et de Tully, il sentit son cœur se serrer comme chaque fois qu'on retrouve un endroit chargé de souvenirs. Autour de lui, tout semblait familier et pourtant si lointain, comme s'il observait sa vie d'avant par le mauvais bout d'un télescope. La salle de mouture n'était plus qu'une pièce délabrée : une énorme meule en pierre était appuyée contre un mur, une trémie à grain en mauvais état pendait du plafond au-dessus de leurs têtes, et des outils rouillés étaient éparpillés sur le sol. Dans un coin, une lourde table en chêne s'était affaissée sur un pied, et sur le mur étaient accrochés quelques décorations et des tableaux tout poussiéreux. Barbu observa la pièce avec dédain et se pinça le nez.

— Beurk ! s'exclama-t-il. Quelle saleté. En plus, je ne supporte par le blé, ça me donne des boutons. Faisons vite.

— Voilà notre refuge, monsieur d'Anvers, dit Janty, qui

ramassa un manche à balai pour le jeter à travers la pièce. Personne ne vient jamais ici. C'est un bon endroit pour les rencontres, celles avec les gens qui veulent passer une commande discrètement.

— Oui, tiens, en parlant de ça. Le carnet de ton père, Janty, dit Barbu en rejetant sa cape en arrière. Va donc me le chercher.

— Je l'ai mis dans notre meilleure cachette. C'est moi qui l'ai fabriquée.

Janty se dirigea vers un mur où était accroché un tableau. Il représentait un poisson sur le point de mordre à l'hameçon.

— Le poisson pense que c'est lui le prédateur, expliqua Janty par-dessus son épaule, mais il a tort. C'est la proie. C'est une leçon que mon père m'a apprise : parfois, même quand on pense être le chasseur, c'est nous qui sommes pris en chasse, en réalité. Et c'est pour ça qu'il faut toujours tout protéger.

Janty effleura la peinture de sa main. L'hameçon qui semblait si plat et terne se souleva sous les doigts du garçon et, avec un claquement, le poisson glissa le long du mur pour dévoiler un petit tiroir rectangulaire. Janty en sortit un livre à l'aspect miteux qu'il tendit à Barbu.

— Et voilà, monsieur d'Anvers. Le carnet de commandes de mon père.

Barbu traversa la pièce à grandes enjambées et arracha l'objet des mains du garçon. Il le brandit, l'air triomphant.

— Nous l'avons, Tully ! jubila-t-il, le regard embrasé. Grâce à lui, nous allons découvrir qui a fait fabriquer la fausse pierre de Kastoran et, quand nous le saurons, le vrai diamant sera à nous !

— Jamais ! cria Wilma, entrant sans ménagement par une fenêtre cassée avant d'enlever son sac à pommes de terre. Ce carnet de commandes constitue une preuve dans une enquête officielle, et vous avez le devoir de le remettre aux autorités, conformément à… attendez une minute…

La fillette se mit à feuilleter hâtivement son Porte-Indices.

— La loi ! Voilà, conformément à la loi ! Pétrin, debout. Je sais que là, on est en plein dans une situation hasardeuse, mais ce n'est pas une raison pour dormir !

Sur le moment, Wilma s'était sûrement dit qu'attaquer le terrible Barbu d'Anvers était la meilleure des choses à faire. Mais pour une fillette peu soignée, sans personne pour l'aider (à part un petit beagle coincé dans un sac), se jeter sur un criminel dépourvu de sens moral est une mauvaise idée. Une très, très mauvaise idée.

Perplexe, Barbu dévisagea la petite fille en tablier qui se tenait devant lui. Avec un gros éclat de rire incrédule, il se tourna vers Tully.

— Regardez-moi ça, si ce n'est pas notre petite espionne, Wilma Tenderfoot. Tu peux la tuer, Tully. Et son chien avec.

Il se dirigea vers la porte et repoussa sa cape par-dessus son épaule avant d'appeler Janty :

— Viens, mon garçon. Pas besoin de se salir les mains plus que nécessaire.

— Ne le laisse pas emporter le livre, Janty ! cria Wilma. C'est un affreux personnage. Aide-moi, à nous deux, on peut le récupérer !

— Je n'ai pas envie de t'aider, répliqua Janty. Tu n'es qu'une idiote de fille, une lèche-bottes. Je veux découvrir qui a tué mon père, et j'y parviendrai grâce à lui.

— Mais…

— Eh oui, railla Barbu avec un sourire en coin, j'ai gagné. Tully, au travail.

Tully bondit en avant pour attraper Wilma. Au même moment, Pétrin, enfin débarrassé de son sac à pommes de terre, se rua sur le malfrat avec un terrible grognement. Il enfonça ses crocs dans son imposant avant-bras, et le sbire poussa un hurlement. Il tituba et heurta la meule en pierre, la faisant basculer vers Barbu et Janty. Wilma eut alors un éclair de génie : elle se jeta sur la meule pour la pousser de toutes ses forces. La lourde roue s'écrasa sur le brigand et son jeune protégé. Barbu tomba par terre et le livre voltigea dans les airs avant de retomber avec un bruit sourd puis de glisser sur le sol du moulin. Incapable de bouger, Barbu hurla à son acolyte :

— Là-bas, Tully, attrape le carnet ! Oublie le chien, attrape le carnet !

Wilma plongea sur le livre, mais à peine avait-elle posé un doigt dessus qu'un énorme poing venu de nulle part l'envoya valser à travers la pièce. Étourdie, elle vit Tully ramasser le carnet. Pétrin n'avait toujours pas lâché prise, mais l'homme de main se mit alors à tourner sur lui-même pour s'en dégager. Le chien tint bon, têtu, les pattes et les oreilles claquant au vent. Barbu hurlait des ordres et Janty essayait de se dégager de la lourde meule – il avait d'ailleurs presque réussi. Wilma devait faire vite. Elle avait atterri dans un coin de la pièce sur un tas de casseroles et d'ustensiles rouillés, et contre sa main, elle sentit le froid d'une lourde marmite en ferraille. Elle se releva péniblement, l'attrapa et courut droit vers Tully. Saisissant la marmite par la poignée, elle la souleva au-dessus de sa tête et la fit tournoyer avant d'infliger au sbire un coup formidable sur la tête. Tully s'arrêta en plein mouvement et eut juste le temps de voir ce qui l'avait heurté avant de tourner de l'œil et de s'effondrer par terre. Wilma attrapa le carnet de commandes et cria à Pétrin :

— Viens, je l'ai ! Plutôt fortiche pour une idiote de fille, hein ? lança-t-elle à Janty.

Abasourdi, celui-ci la regarda atteindre la porte sous les hurlements aigus d'un Barbu d'Anvers fou de rage :

— Je te retrouverai, Wilma Tenderfoot, même si je dois y passer toute ma vie ! JE TE RETROUVERAI !

Une fois dehors, Wilma entendait toujours les cris résonner dans ses oreilles. Elle savait qu'elle s'était fait un ennemi mortel, et qu'il tiendrait parole. À bien y réfléchir, rien de très rassurant, je trouve.

21. Très bête, très dangereux et très courageux

— **P**etit truc numéro cinq ! hurla Wilma alors qu'ils s'enfuyaient à toutes jambes. « Lors d'une évasion, emprunter des chemins tortueux » ! Je ne sais pas trop ce que ça veut dire. Attends, Pétrin, je vais regarder !

Tout en courant, elle sortit le dictionnaire de la poche de son tablier et tourna rapidement les pages.

— Dis donc, il est drôlement compliqué, ce mot-là ! cria-t-elle à Pétrin qui la suivait de près. **Tortueux** : *prendre le plus long chemin possible afin d'éviter de tomber sur des individus qui cherchent à vous tuer.* Ça m'a l'air d'être une bonne idée !

Notre courageux tandem emprunta donc des contre-allées dérobées, sauta par-dessus des palissades et zigzagua à travers champs. Après tout, avec le pire brigand de Cooper à leurs trousses, ils avaient tout intérêt à suivre la consigne.

Au bout d'une bonne trentaine de minutes passées à chercher les chemins les plus tortueux possibles, Wilma et Pétrin arrivèrent enfin devant le mur de brique qui séparait les deux côtés de l'île. Wilma jeta un coup d'œil au poste frontière. La loge de Trevor était vide : la voie était libre. Mais la frontière était fermée pour la nuit et ils risquaient de se retrouver pris au piège… Or, il fallait à tout prix qu'ils retrouvent le Haut de l'île et M. Lebon.

— Il faut que je réfléchisse tortueusement, chuchota Wilma en tapotant sa lèvre inférieure avec son index. Il faut qu'on passe la frontière, mais d'une manière vraiment complètement inattendue.

Pétrin donna un petit coup de patte à Wilma et leva le museau vers le mur. Wilma vit alors une échelle suspendue à un crochet au-dessus de leur tête.

— Mais bien sûr ! s'exclama-t-elle avant de tapoter affectueusement le crâne de Pétrin. Il suffit qu'on passe par-dessus !

Wilma décrocha l'échelle et l'installa contre le mur. Puis elle prit les coins de son tablier et les noua autour de son cou pour fabriquer une sorte de panier. Enfin, elle attrapa Pétrin et l'installa dans la poche improvisée.

— Ne gigote pas, avertit-elle, et pas de léchouilles non plus, ça chatouille.

Wilma commença à gravir les échelons et Pétrin, bien au chaud dans son berceau de fortune, se mit à bâiller, laissant son esprit vagabonder vers des rêves d'os à moelle et de biscuits. Dès qu'un chien se retrouve bien au chaud quelque part, il oublie immédiatement ce qu'il était supposé surveiller. C'est pour cela qu'on ne voit jamais des chiens s'occuper des grosses machines dans les pièces surchauffées des usines, ce serait beaucoup trop dangereux. Et c'est également pour cela que Pétrin ne remarqua que trop tard que son support s'abaissait de plus en plus à chaque minute. En effet, le nœud sur la nuque de Wilma n'était pas assez serré… et au moment où la petite fille, arrivée en haut de l'échelle, s'agrippa au rebord en tuile, il se détacha complètement. Le panier céda et Pétrin fut précipité vers le sol.

— Pétrin ! cria Wilma.

Elle n'avait qu'une seconde pour sauver son fidèle compagnon : elle devait agir vite. Elle tendit la jambe, et la boucle de sa sandale rattrapa de justesse Pétrin par son collier. Elle poussa un soupir de soulagement. Pétrin, lui, se balançait doucement au bout du pied de Wilma en faisant de son mieux pour cacher sa frayeur. Il s'en était fallu de peu. Mais les deux amis n'étaient pas tirés d'affaire pour autant : en plongeant pour rattraper Pétrin, Wilma avait perdu l'équilibre et envoyé l'échelle se fracasser au sol. Le tandem était suspendu dans le vide, retenu uniquement par la main de Wilma, toujours agrippée au sommet du mur.

— Et qu'est-ce qu'on va faire maintenant ? gémit

Wilma. On est fichus ! C'est comme quand M. Lebon enquêtait sur l'énigme de la rate explosée et qu'il s'est retrouvé suspendu en haut d'une falaise. Il s'est servi d'une enclume pour remonter. Si seulement j'avais une enclume ! Ou juste un poids !

Toujours suspendu par son collier, Pétrin laissa échapper un reniflement éloquent. Wilma baissa les yeux et s'écria :

— Attends une minute, je t'ai, toi ! Si je te fais prendre de l'élan, Pétrin, je peux te propulser en haut du mur avec mon pied ! De là, tu pourras m'aider à remonter. Tu vois une autre solution, toi ?

Et sur ces mots, elle balança la jambe une fois, deux fois, et à la troisième elle catapulta Pétrin en l'air. Le chien s'envola, les oreilles plaquées contre la tête, et atterrit sur le rebord au-dessus d'elle.

— Maintenant, attrape ma manche et tire, Pétrin, tire ! cria Wilma.

Encore un peu sonné par son vol plané, le chien s'ébroua et mordit dans la manche de Wilma. À force de tirer, il parvint à remonter suffisamment la petite fille pour qu'elle mette son autre main sur le rebord. Après de nombreux efforts, Wilma le rejoignit enfin au sommet.

— Eh ben dis donc ! s'exclama-t-elle en s'asseyant, essoufflée. Ce n'est pas si facile que ça d'être tortueux.

— J'ai une idée, dit l'inspecteur Lecitron, le doigt en l'air. Et si on faisait un somme ? Qu'est-ce que vous en dites ? Piquer un petit roupillon… parce que j'ai lu quelque part que nos meilleures idées nous viennent en dormant. Je crois que ça s'appelle une sieste éclair, quelque chose dans ce goût-là. Et puis on pourrait demander à Mme Frisquet de nous préparer une tarte… vous savez… pour aider à commencer le petit somme ? Il est terriblement tard…

Théodore P. Lebon, le plus grand détective du monde, feuilletait un livre à la recherche du chapitre sur les sarbacanes et ne faisait pas vraiment attention à l'inspecteur.

— Ah ah ! s'exclama-t-il enfin. C'est ce que je pensais ! Si je me souviens bien, la plume sur cette flèche était d'un bleu violacé tacheté d'or. Et il n'y a qu'un seul oiseau qui possède ce plumage…

Le détective attrapa un autre ouvrage volumineux sur son bureau et l'ouvrit d'un coup sec.

— … Et voilà ! La paruline pépin ! Et savez-vous où elle niche, Lecitron ? ajouta-t-il d'un ton triomphant.

— Hum, dans un arbre ? répondit l'inspecteur, qui s'était allongé sur la chaise longue et s'apprêtait à entamer son petit somme.

— Mais pas n'importe quel arbre, inspecteur ! déclara

Théodore en se levant. Le cynta! Le même arbre qui sécrète le poison retrouvé sur l'éclat! Et je parie que si on pose la question à nos experts, ils nous diront que c'est ce poison qui a tué Visser.

Il se mit à griffonner sur son tableau d'enquête. L'inspecteur avait maintenant fermé les deux yeux et commençait à rêver d'un monde tout en tartes. Il fit un dernier effort pour demander :

— Alors vous pensez que c'est cet arbre qui a volé la pierre de Kastoran ?

— Non! répondit Théodore. Je pense que la personne qui a fabriqué cette fléchette a également touché la pierre de Kastoran. Comme je le suspectais, il s'agit d'une seule et même personne, Lecitron! Voyons, il n'existe qu'un unique cynta sur l'île de Cooper, et si je ne m'abuse (il s'empara d'un gros livre plein de coupures de journaux), il se trouve à l'arboretum de Pied-de-la-Colline!

— Arbo-quoi? marmonna l'inspecteur.

— Arboretum. C'est l'endroit où l'on recueille toutes les espèces d'arbres. Ah ah (il pointa du doigt un article de journal avec la photo d'une cérémonie de plantation d'arbre), le voilà! Je crois que nous tenons notre première piste sérieuse, Lecitron!

Il sortit sa loupe et s'approcha de la photo pour l'observer.

— Voyez-vous cela. Très intéressant.

— Et moi, je tiens la deuxième piste sérieuse !

Haletante, Wilma venait d'entrer dans le bureau du détective par la fenêtre, Pétrin sur ses talons. Théodore se retourna vivement.

— Wilma, pourquoi passes-tu par la fenêtre ?

— On a dû être tortueux, expliqua Wilma (elle fit une pause pour s'assurer qu'il avait bien noté son grand sérieux de détective). Je sais que tout à l'heure, Pétrin et moi avons tout fichu par terre. Alors, même si normalement on n'a plus le droit d'enquêter, ça me semblait quand même normal qu'on essaie d'arranger les choses. Et je crois que vous allez être drôlement content de nous, parce qu'on a trouvé ça. C'est le carnet de commandes de Visser !

Et, toujours hors d'haleine après tous ces efforts, elle lui tendit un livre en piteux état.

— Tu n'abandonnes vraiment jamais, toi ! s'exclama Théodore qui saisit le carnet et alla s'asseoir à son bureau pour l'examiner. Mais comment l'as-tu trouvé ?

— Pétrin a vu passer le garçon, Janty, avec Barbu et l'autre gros homme. Et comme vous aviez dit que Janty savait sûrement quelque chose d'important, on s'est mis à les espionner, parce que vous avez dit que les détectives devaient faire des espionnages. Ils sont allés en Bas de l'île, et là, ils sont entrés dans un moulin abandonné, donc je me suis doutée qu'ils préparaient un mauvais coup. Ensuite j'ai poussé une énorme roue, j'ai cogné sur la tête du gros homme avec une marmite, et puis j'ai pris le carnet et on est partis en courant. Voilà.

Le détective étudia la fillette qui se tenait devant lui. L'espace d'un instant, son regard s'adoucit, mais il reprit vite son sérieux. Il ne voulait pas qu'une fillette de dix ans très déterminée sache qu'un célèbre détective très responsable était impressionné par sa témérité. C'était tout à fait impensable.

— Tu n'aurais pas dû faire cela, Wilma, dit-il en s'appuyant sur le dossier de sa chaise. C'était bête et surtout très dangereux.

Wilma regarda ses sandales et répondit, à peine assez fort pour couvrir les halètements de Pétrin :

— Mais j'ai trouvé le carnet de commandes, tout de même, non ?

Théodore se leva et se dirigea vers Wilma, les pouces calés dans les poches de son gilet.

— C'était très bête, très dangereux... et courageux, je te l'accorde.

Wilma sourit jusqu'aux oreilles.

— Mais vous allez vraiment réussir à arrêter celui qui a commandé le faux diamant, maintenant, monsieur Lebon ? Parce que j'ai regardé le carnet, mais ça ressemble à un album de coloriages, il n'y a que des images bizarres.

Théodore ouvrit le carnet, se pencha dessus et fit rouler sa moustache entre deux doigts.

— Je vois... C'est une série de symboles et de rébus.

— Des rébus ? C'est aussi un mot de détective ?

— Pas vraiment, répondit Théodore en ressortant sa loupe. C'est quand on se sert d'images pour représenter des syllabes. Quand on a trouvé toutes les syllabes et qu'on les met bout à bout, cela forme un mot ou une phrase. Tiens, regarde (il prit une page au hasard), celui-là est très facile. La première colonne, c'est l'objet commandé et la seconde, c'est le client. De quoi parlent ces images, à ton avis ?

Wilma se frotta le nez du revers de la main et regarda la page.

— La première, c'est un bonhomme vu de derrière. Peut-être qu'il est fâché ? C'est un monsieur très grognon ? Peut-être que ça a un rapport avec Trevor ?

— C'est possible, mais regarde. Il y a une flèche qui va vers un point précis. Qu'est-ce que cela nous apporte de plus ?

— C'est une flèche... dans un bonhomme... C'est un Indien !

— Non, répondit Théodore, qui était quelqu'un de très patient. C'est pour désigner le dos. Nous avons un morceau de l'indice.

— Ah oui, le dos, répéta Wilma en hochant la tête. Je m'en doutais.

— Et le dessin suivant ? demanda Théodore.

Il désigna une image représentant un poisson tout plat, tout rond, avec deux yeux sur le dessus.

— C'est une crêpe, commenta la fillette à voix haute, pensive. Qui espionne. C'est une crêpe détective !

— Non, c'est une raie, corrigea Théodore. Maintenant, mets ces deux indices bout à bout.

— Un dos et une raie, répéta Wilma en se grattant la tête. Dos. Et raie. Dos. Raie. Oh, attendez, j'ai trouvé : doré ! Ha, doré ! Eh bien dites donc, monsieur Lebon, heureusement que je suis là pour vous aider à faire toutes ces contemplations et toutes ces déductions.

Théodore sourit.

— Nous arrivons donc au dernier dessin. Qu'est-ce que c'est ?

Wilma fit une grimace de concentration, inclina la tête, puis posa l'index sur la page, triomphante.

— Je sais. C'est un monsieur chauve qui n'a pas de visage.

— Non, Wilma, c'est un œuf, expliqua Théodore en refermant brusquement le carnet de Visser. Un œuf doré !

Et nous avons déjà entendu parler d'un œuf doré, n'est-ce pas, Wilma ?

— Ah oui ? répondit la fillette, peu convaincue.

— Oui ! L'œuf doré de Polloon, un des plus grands trésors de l'île. Je suis sûr que tu l'as sur ton Porte-Indices. C'est une affaire que j'ai résolue il y a quelques années.

— Ah oui ! acquiesça Wilma.

— Mmm, dit Théodore en allant à la dernière page du carnet. Voilà probablement ce que l'on cherche. C'est plus compliqué qu'un simple rébus. Cela va me prendre plus de temps que prévu.

Wilma regarda par-dessus l'épaule du grand détective pour apercevoir la page cryptée.

— Qu'est-ce que ça peut bien vouloir dire, monsieur Lebon ?

— Je n'en suis pas encore certain. Mais toi, tu dois sûrement avoir faim après toutes ces aventures. Va donc demander à Mme Frisquet de te faire à dîner avant de rentrer chez toi.

— Mais…, protesta Wilma.

— Pas de mais, jeune fille. Va voir Mme Frisquet et mange quelque chose.

— Manger ? demanda une voix endormie depuis la chaise longue. Mme Frisquet ?

— Debout, inspecteur ! dit Théodore en reprenant place à son bureau. Nous avons le carnet de commandes ! Merci, Wilma, cela va vraiment faire avancer notre enquête.

Wilma rayonnait. Oh! bien sûr, on lui avait dit de rentrer chez elle, mais elle avait enfin fait quelque chose d'utile sans rien flanquer par terre. Elle leva les yeux vers la pendule et se rendit compte qu'il était très tard. Mme Ronchard était probablement en train de dormir. Peut-être qu'elle pouvait rentrer sans se faire remarquer et ressortir chercher le cadre le lendemain matin avant que sa maîtresse ne se réveille? Et puis si elle voulait récupérer son étiquette à bagage, c'était le moment. Sans compter qu'elle avait encore une quantité de nouvelles preuves à inscrire sur son tableau d'enquête!

— Si ça ne vous fait rien, dit-elle en reculant vers la sortie, je ne vais pas rester manger. J'ai encore quelque chose à faire...

Et sur ces mots, elle s'éclipsa, suivie de près par Pétrin. L'inspecteur se redressa et se frotta les yeux.

— Elle ne veut pas rester manger? s'exclama-t-il. Mais elle est complètement folle, cette enfant!

Le Donjon Hurlant était plus silencieux qu'un cimetière. Wilma et Pétrin avaient traversé les buissons d'épines du jardin pour venir se mettre juste sous la fenêtre du salon. Wilma se hissa sur la pointe des pieds pour pouvoir épier l'intérieur. Elle frotta la crasse sur la vitre jusqu'à ce qu'elle puisse voir ce qui se passait.

Le fauteuil de Mme Ronchard était installé devant la cheminée.

— C'est bizarre, chuchota Wilma à Pétrin. Mme Ronchard a allumé un feu, pourtant elle a horreur de ça.

Le fauteuil tournait le dos à Wilma, et elle ne voyait que la main de sa maîtresse reposant sur le bras. De toute évidence, Mme Ronchard dormait.

— Chut ! Il faut qu'on soit aussi silencieux que possible.

Le tandem se dirigea à pas feutrés vers le porche, monta les marches et passa la porte d'entrée. Sans un bruit, ils s'avancèrent vers le salon, Pétrin rampant au sol et Wilma à quatre pattes, au cas où sa maîtresse viendrait à se réveiller. Mme Ronchard avait enfoui l'étiquette à bagage dans la poche de son gilet. Quand elle se fut suffisamment approchée, Wilma vit qu'elle y était toujours, coincée entre le fauteuil et le bras de Mme Ronchard. Avec précaution, elle tâtonna jusqu'à rencontrer la ficelle nouée à l'étiquette. Son front perlait de sueur, et Pétrin, lui, était tellement concentré qu'il semblait tout ridé. Il faisait très chaud à cause du feu, aussi, lorsque la fillette commença à tirer l'étiquette, elle se demanda si ses doigts moites ne risquaient pas de glisser. L'étiquette bougea lentement mais s'arrêta. Elle était coincée. Wilma ferma les yeux, serra les dents et tenta le tout pour le tout : elle tira d'un coup sec. Le corps de Mme Ronchard bougea légèrement, son bras tomba brusquement du fauteuil et heurta Wilma au visage. La fillette poussa un petit cri, mais il y avait quelque chose d'étrange : Mme Ronchard ne semblait toujours pas se réveiller. Son bras pendouillait, tout mou, à quelques centimètres à peine du nez de Wilma. La fillette se releva et examina sa maîtresse de plus près. Elle agita la main devant ses yeux. Rien. Elle approcha son oreille de sa bouche. Pas de respiration. Wilma recula et fixa sa maîtresse du regard. C'était impossible ! Mais lorsque Wilma s'avança de nouveau pour poser sa main sur la poitrine de Mme Ronchard, elle fit la plus grande déduction de sa jeune carrière.

Mme Ronchard était morte. Et son cœur était gelé. Absolument épouvantable, non ?

22. Règle numéro un du code des méchants : ne jamais dire la vérité

— **E**st-ce trop demander, hurla Barbu d'Anvers tandis qu'on l'extrayait de sous l'énorme meule de pierre, qu'une fois, une seule, je ne sois pas entouré d'imbéciles incompétents ?

Mal à l'aise, Tully se dandina d'un pied sur l'autre et se gratta la nuque.

— Ben le problème, commença-t-il avant d'avaler sa salive, c'est que je l'ai pas vue arriver, et puis elle avait la marmite et aussi le chien, du coup j'ai pas…

— Tully ! cracha Barbu, les poings serrés. C'est une petite fille. Une petite FILLE ! Sans vouloir te faire de peine, il me semble que je t'ai engagé comme homme de main sanguinaire. Du coup, c'est peut-être dingue, mais je pensais que tu serais capable de maîtriser une sale gamine mal habillée et son cabot puant !

Tully se mordit la lèvre.

— Nous tenions ce satané carnet de commandes !

poursuivit Barbu avant de jeter une brique sur son acolyte. Et voilà qu'il a disparu ! Comment vais-je retrouver la pierre de Kastoran, à présent ?

— Je croyais que vous vouliez le carnet pour organiser une cérémonie en hommage à mon père et démasquer son assassin ! intervint Janty qui avait fini de s'épousseter dans un coin de la pièce.

— Règle numéro un du code des méchants, répliqua Barbu. Ne jamais dire la vérité ! Évidemment que je n'allais pas lui organiser une cérémonie, tout ce que je veux, c'est la pierre de Kastoran ! Mais maintenant que cette épouvantable gamine nous a dérobé le carnet, ce n'est plus qu'une question de temps avant que Théodore P. Lebon-samaritain ne mette la main sur le diamant. Il faut agir vite. Réfléchis, mon garçon, tu travaillais avec ton père, tu dois bien savoir quelque chose !

Un éclair de colère traversa les yeux de Janty. Il savait qu'il s'était fait rouler par Barbu, mais il savait aussi que le brigand restait sa seule chance de se venger un jour. Soudain, tout lui sembla clair : s'il l'aidait à s'emparer du diamant, il retrouverait l'assassin de son père par la même occasion.

— Je veux être méchant. Tout comme vous, dit-il d'un air de défi. Est-ce que vous voulez bien m'apprendre tout ce que vous savez ? Si vous êtes d'accord, je vous aiderai. Sinon, je ne dirai plus rien.

Barbu en resta muet de surprise. Il avait prévu

d'éliminer le garçon dès qu'il serait devenu inutile, et cela chamboulait ses plans. Il ne s'attendait certainement pas à ce revirement de situation.

— Ça alors ! dit-il enfin, comme c'est courageux ! Tu essaies de négocier avec moi ? Tu prends des risques. Mais je dois admettre que cela m'impressionne. Tu fais preuve d'ambition, et c'est le genre de sale combine que je sais apprécier à sa juste valeur. Alors tu veux être méchant ? Je suppose que tout dépend du méchant que tu es prêt à devenir. Je ne sais pas si tu as le cran nécessaire.

— J'ai du cran, monsieur d'Anvers, s'empressa de répondre Janty, les yeux brillants. Je ne veux plus jamais être gentil. De toute ma vie.

— Bien, alors commençons par réfléchir à ce diamant, si tu le veux bien. Ensuite je te trouverai quelque chose de simple à faire pour commencer, comme... donner un petit coup de bâton à quelqu'un. C'est à ta portée, ça, non ?

— Oui, monsieur d'Anvers, acquiesça Janty. Serrons-nous la main, et à partir de ce moment, vous serez le maître et moi l'élève.

Il tendit sa main crasseuse à Barbu. Ce dernier se contenta de sourire et prit la main du garçon dans la sienne.

— Hum, c'est vrai que cela sonne plutôt bien. Très bien, marché conclu.

Et alors que Janty scellait son destin, la dernière lueur du soleil couchant disparut dans les ténèbres.

Une fois sa décision prise, le jeune garçon se retrouva soudain un peu paniqué. Est-ce qu'il savait vraiment quelque chose ? Son père avait toujours pris soin de lui interdire l'accès à ses réunions privées, malgré ses protestations. « Question de sécurité », disait-il. Malgré cela, Janty avait tout de même pu l'observer fabriquer la fausse pierre de Kastoran – le client avait même payé un supplément pour que son père finisse son œuvre le plus vite possible. Il y avait travaillé sans relâche pendant deux jours.

— Je crois…, commença Janty, le front plissé de concentration. Je crois que j'ai entendu mon père dire qu'il s'agissait d'un cas très exigeant. Et certains clients lui demandaient de conserver l'original dans un de nos coffres-forts une fois qu'ils l'avaient volé. Vous savez, le temps que la pression retombe. Parfois, ils le chargeaient même de le vendre pour eux…

— Quoi ? siffla Barbu, les yeux exorbités. Alors la véritable pierre de Kastoran est peut-être cachée dans un endroit auquel nous avons accès ?

— Ben, c'est une possibilité, oui. Si c'est mon père qui l'a cachée, alors je peux sûrement la retrouver. Il avait des cachettes un peu partout sur l'île.

Barbu bouscula Tully et se précipita sur son jeune protégé pour le saisir par les épaules. Il se pencha en avant jusqu'à ce que son nez touche presque celui de Janty et, son regard perçant dans les yeux du garçon, il siffla :

— Trouve-la. Immédiatement.

*

Il se faisait tard. Après des heures de recherche dans l'obscurité, ils avaient froid et Barbu, qui n'était pas réputé pour sa patience, était à bout. Ils s'étaient déjà rendus à sept endroits différents de l'île, dont le fond de la porcherie de la ferme Senfort, le buisson d'épines au bord du précipice des Imbéciles et la chasse d'eau des deuxièmes toilettes de gauche de la fabrique de croustilles de M. Patachou. Jusque-là, Janty ne les avait menés qu'à des impasses.

— Un seul homme a-t-il vraiment besoin d'autant de cachettes ? hurla Barbu tandis que Tully l'aidait à extraire sa jambe d'une mare de boue poisseuse. Pourquoi pas une boîte en fer fermée à clé, ou une poche très profonde ? Non, c'était trop simple pour lui ! Regarde mes bottes, le cuir est fichu !

— Il n'en reste plus qu'une, monsieur d'Anvers, dit Janty.

Il avançait péniblement devant son maître, une lanterne à la main. Une brume venue de l'océan les entourait à présent, si épaisse que la flamme de la bougie peinait à percer les ténèbres.

— Il y a une remise du côté des jardins ouvriers du Bas. Si c'est mon père qui a caché la pierre de Kastoran, c'est notre dernière chance.

— Ce sera effectivement ta dernière chance si on

ne la trouve pas ! cracha Barbu en frappant son jeune protégé dans le dos. Alors allons-y tout de suite. Plus vite on en aura fini avec cette mascarade, mieux ça vaudra pour toi.

L'épais brouillard qui enveloppait les jardins ouvriers du Bas donnait un air sinistre aux tuteurs couverts de lierre. La cachette du père de Janty était une remise tout au fond du terrain. Janty s'en approcha et leva sa lanterne.

— C'est là, murmura le garçon.

— Détruis-moi ça, gronda Barbu en désignant un cadenas accroché sur la porte. Et que ça saute.

Tully s'avança. Dans l'air froid de la nuit, des volutes de fumée s'élevaient de sa bouche. Il sortit de sa poche une énorme clé anglaise et l'abattit violemment sur le cadenas, qui se brisa en deux et s'écrasa au sol. Tully poussa la porte et Barbu entra, emmitouflé dans sa cape.

La remise était un vrai dépotoir. Des outils, des pots et des tas de papiers jonchaient le sol. Fébrile, Barbu donna un coup à Tully et Janty, et leur cria :

— Eh bien, au travail !

Désireux de faire oublier sa cuisante défaite face à une fillette de dix ans, Tully s'exécuta. Il se mit à ouvrir les tiroirs avec enthousiasme et à vider tout ce qui lui tombait sous la main. Crayons, pots de peinture, graines, clés rouillées, bouts de ficelle et même un morceau de théière s'amoncelèrent à ses pieds. Janty, lui, n'avait pas bougé d'un pouce. Barbu frappa le sol de sa canne.

— Où est-elle ? Où l'a-t-il mise ?

— Attendez ! cria Janty. Mon père me disait toujours : « Si tu veux cacher quelque chose, laisse-le en évidence. »

Barbu tourna vivement la tête et balaya la petite pièce du regard.

— Là-bas ! dit-il en dissimulant à grand-peine son excitation. En haut de cet arrosoir. Éclaire ce coin-là, Janty.

Les deux autres suivirent la direction qu'indiquait le doigt de Barbu. Juste au-dessus d'une étagère où s'entassaient des pots de fleurs se trouvait un petit arrosoir vert. Janty leva sa lanterne et quelque chose se mit à scintiller au bout du goulot. Barbu traversa les décombres et leva les bras pour l'attraper.

— Hum... je n'arrive pas à...

— Vous voulez un tabouret ? suggéra Tully, qui se mit en quête d'un objet adéquat. Vous savez, pour l'atteindre ?

— Tully ! riposta Barbu en se retournant vivement, le visage tordu de colère. Je suis parfaitement capable d'atteindre tout ce que je désire atteindre. Là, tout de suite, je n'en ai simplement pas envie, alors pourquoi tu ne t'en charges pas, toi ? Il me semble que c'est ton TRAVAIL !

Son acolyte se dirigea d'un pas lourd vers l'étagère et y prit l'arrosoir.

— Tenez, monsieur Barbu, marmonna-t-il.

Il le tendit à son minuscule employeur qui lui arracha l'objet des mains sans cesser de le dévisager d'un air furieux.

— Ah ah ! s'écria-t-il. Je crois que notre quête est terminée.

En effet, il y avait là, à l'extrémité du goulot de l'arrosoir, où aurait dû se trouver la pomme, l'éblouissante pierre de Kastoran. Barbu la tint à la lumière entre deux doigts, rejeta la tête en arrière et éclata d'un rire triomphant.

— Elle est à moi ! s'esclaffa-t-il. J'ai doublé tout le monde et je l'ai volée ! Me voilà plus riche que dans mes rêves les plus fous, l'île m'appartient !

Barbu lança le diamant en l'air, le regarda miroiter avant de le rattraper et de le fourrer dans la poche de sa veste. Son sourire se fit mauvais.

— Mais nous n'avons pas encore tout à fait fini. Quelqu'un a essayé de jouer au plus malin avec moi, et cela me déplaît fortement. Il n'y a qu'un seul super méchant à Cooper, et c'est moi ! Alors, avant de nous réjouir, nous allons retrouver l'homme qui est derrière toute cette histoire, et nous allons le tuer. Qu'en dis-tu, Janty ?

— Mais on ne sait pas qui c'est, intervint Tully, perplexe. Puisqu'on n'a plus le carnet.

— « *On n'a plus le carnet* », singea Barbu avec mépris. Sans blague ? Et à qui la faute ? Il y a sûrement un autre moyen de découvrir son identité. Réfléchissez, vous deux. Je suis sûr qu'on oublie un détail. Quelque chose qui nous échappe.

— J'ai lu que l'homme qui a trouvé le diamant et sa tante, ceux qui ont été assassinés, avaient tous les deux de la lavande dans les mains, avança Janty, plein d'espoir. Je ne sais pas si ça signifie quelque chose.

— Une seconde ! cria Barbu en fouillant sa mémoire. De la lavande ? Quelqu'un a essayé de me donner… mais oui, c'est vrai que je suis une cible prévisible. Après tout, cet inconnu aspire à devenir le plus grand criminel de Cooper, et je suis la dernière personne en travers de sa route… La femme des *Douze Queues de Rat* ! J'avais raison depuis le début : sur cette île, jamais un homme n'oserait déjouer mes plans. Mais une femme, c'est une autre histoire. Nous cherchons donc une femme ! Tu penses que tu seras à la hauteur, cette fois, Tully ?

Tully se renfrogna mais acquiesça. Une femme l'avait vaincu une fois déjà, et il n'avait pas l'intention que cela se reproduise. Les jours de la femme aux brins de lavande étaient comptés. Il en faisait une affaire personnelle.

23. Retour à la case départ

— De la lavande, dit Théodore après avoir ouvert la main de Mme Ronchard. C'est bien ce que je pensais.

— Et je vous parie qu'elle a le cœur gelé, compléta l'inspecteur Lecitron en s'essuyant le front avec son mouchoir. Comme les autres. Ça ne me plaît pas. Ça ne me plaît pas du tout.

— Viens ici, Wilma, appela doucement le détective, en direction d'un coin sombre de la pièce.

Encore choquée par sa macabre découverte, Wilma fit quelques pas hésitants.

— Réfléchis, Wilma : est-ce que tu as remarqué quelque chose de particulier en arrivant ? Quelque chose de différent, d'inhabituel ?

— Je ne crois pas, monsieur Lebon, répondit Wilma, son étiquette à bagage serrée contre son cœur. J'ai juste cru qu'elle dormait…

Sa voix se brisa et elle frissonna. Compatissant, Pétrin vint frotter son museau contre la jambe de son amie. Le regard de Wilma s'éclaira.

— Ah, mais j'y pense, attendez... Le feu! (Elle montra la cheminée du doigt.) Mme Ronchard n'allumait jamais de feu, même quand il faisait très froid, elle disait que c'était du gâchis de charbon! Donc oui, ça, ce n'était pas normal.

— Bien, c'est un début, commenta Théodore en s'approchant de l'âtre.

Il prit un tisonnier accroché au mur et agita les braises encore chaudes.

— Peut-être que le meurtrier voulait brûler quelque chose, monsieur Lebon, suggéra Wilma. Pour détruire des preuves, par exemple. Vous savez, comme la fois où Barbu d'Anvers a mis le feu à tous ces chapeaux quand vous avez résolu l'énigme de l'ukulélé à trois cordes?

— Peut-être, répondit le détective en fronçant les sourcils, mais peut-être pas.

Il se retourna vers le corps étendu dans le fauteuil.

— Laissons le Dr Augrenu et Penbert faire leur travail. Même si à mon avis, ils ne feront que confirmer ce que je sais déjà.

— C'est-à-dire? demanda Wilma (elle s'efforça de prendre un air détaché comme si elle avait déjà sa petite idée, alors qu'elle ne comprenait rien à ce qui se passait).

— Ce n'est pas encore le moment, Wilma, dit Théodore

en tapotant la loupe rangée dans sa poche. Petit truc numéro huit, rappelle-toi : un vrai détective garde toujours ses déductions pour la fin. Mais attendez... Qu'est-ce que c'est que ça ?

Le célèbre détective se pencha sur l'épaule de Mme Ronchard. Il sortit une pince à épiler de la poche de son veston et, délicatement, attrapa un petit objet brillant.

— Eh bien, ça alors, dit-il en le mettant à la lumière. Un faux ongle.

— Ça, c'est bizarre, commenta Wilma tout en notant dans un coin de sa tête de l'ajouter à son tableau d'enquête. Mais après tout, Mme Ronchard m'avait déjà demandé de lui ronger les ongles, alors peut-être qu'elle s'en était acheté de nouveaux. À coller sur les siens.

— Intéressant, murmura Théodore avant de mettre l'ongle rouge sang dans un sac qu'il confia à l'inspecteur. Dis-moi, Wilma, est-ce que Mme Ronchard a eu de la visite aujourd'hui ? Est-ce que quelqu'un est passé, même en coup de vent ?

Wilma secoua la tête.

— Mme Ronchard n'était pas du genre à recevoir des visiteurs. En fait, depuis que j'habite là, je crois qu'elle n'a jamais quitté la maison. La seule fois où je l'ai entendue parler de quelqu'un, c'était de l'homme sur la photo que Pétrin a cassée. Mais je ne sais pas qui c'était.

— Est-ce que tu as toujours cette photo ? demanda Théodore. Peux-tu me la montrer ?

— Non, elle est à la grande boutique d'encadrement de miss Dechrista. Je l'y ai laissée hier quand je me suis mise à suivre Janty et les deux autres. Mais attendez ! ajouta-t-elle soudain. Il y a autre chose, à l'étage : une malle pleine de costumes !

— Des costumes ? s'étonna l'inspecteur en se grattant le front. Mais qu'est-ce qu'une femme comme Mme Ronchard pouvait bien faire avec une malle pleine de costumes ?

— Va me chercher ça, s'il te plaît Wilma, demanda le grand détective en sortant sa pipe. Ce n'est sans doute rien, mais mieux vaut éviter de négliger un indice.

Wilma se précipita à l'étage pour rapporter les objets les plus intéressants de la malle, désireuse comme toujours de prouver à M. Lebon qu'elle ferait une excellente apprentie détective. Avec la mort de Mme Ronchard, l'avenir de la fillette était incertain, mais elle voulait garder espoir.

— Voilà, monsieur Lebon, souffla Wilma en revenant au salon. J'ai trouvé cette affiche. On dirait qu'elle faisait partie d'un cirque, ou quelque chose comme ça.

Théodore examina la photo.

— Vous devriez peut-être mener votre petite enquête à ce sujet, Lecitron, pour savoir si ce cirque tourne encore, et si quelqu'un là-bas se souvient de Mme Ronchard ou de son ami.

— Pas de problème, opina l'inspecteur.

— Bien, déclara Théodore en bourrant sa pipe. Nous n'avons plus rien à faire ici. Je pense que tu devrais aller te coucher, Wilma, la journée a été longue. Va donc ramasser tes affaires, je vais demander à Mme Frisquet de préparer la chambre d'amis. Il est hors de question que tu restes toute seule dans cette maison. Tu vas habiter avec nous en attendant qu'on sache ce qu'on va faire de toi.

Avant ce jour, personne à part Pétrin ne s'était jamais préoccupé de Wilma. Tandis qu'elle quittait le Donjon, accompagnée de Théodore et de l'inspecteur, elle sentit son cœur se réchauffer. Le célèbre Théodore P. Lebon allait lui ouvrir la porte de sa maison. Elle pourrait s'asseoir dans son bureau pour boire du thé à la menthe et manger des biscuits, comme un vrai détective. Petit à petit, son rêve de toujours devenait réalité. Un jour, pensa-t-elle, elle n'enquêterait plus sur le meurtre de son horrible ex-employeur, mais sur la signification de l'étiquette qu'on lui avait laissée alors qu'elle n'était encore qu'un bébé. Elle baissa les yeux vers son baluchon pour regarder son tableau d'enquête, posé dessus. Elle avait déjà commencé à le mettre à jour pendant que M. Lebon et l'inspecteur faisaient leur travail dans le salon de Mme Ronchard. Elle était sûre de pouvoir maintenant y trouver de nouvelles réponses…

Alors qu'ils atteignaient le portail délabré du Donjon Hurlant, ils entendirent une voiture approcher. C'était une calèche noire tirée par deux chevaux noirs. Elle fit brutalement halte, projetant un nuage de poussière au visage de Wilma. La fillette ferma les yeux et se mit à tousser.

— Wilma Tenderfoot ? appela une voix semblable à des couteaux qu'on aiguise.

Du nuage de poussière surgit un visage que Wilma ne connaissait que trop bien.

— Eh bien, tu ne me faciliteras jamais les choses, toi ! aboya Mme Skratch en agitant son nez crochu. J'ai reçu le télégramme il y a à peine deux heures. Alors comme ça, Mme Ronchard est morte ? J'espère pour toi que tu n'as rien à voir là-dedans.

— Non… je…, commença Wilma.

— Un télégramme ? demanda Théodore en s'avançant. Quel télégramme ?

— Ne soyez pas ridicule, tonna la directrice. Quel télégramme, dites-vous ? Mais celui que vous m'avez envoyé, monsieur Lebon. D'ailleurs, je l'ai là !

Elle fouilla les poches de son manteau et en sortit un petit papier jaune, que Théodore saisit pour le lire à voix haute.

« *BARBARA RONCHARD MORTE — WILMA TENDERFOOT DOIT REPARTIR À L'ORPHELINAT SUR-LE-CHAMP — THÉODORE P. LEBON.* »

Le grand détective se tourna de nouveau vers la directrice.

— Mais je ne vous ai jamais envoyé ce télégramme. C'est probablement l'assassin qui l'a fait !

— Mais pourquoi l'assassin veut-il que je reparte à l'orphelinat ? gémit Wilma, les mains crispées sur son tablier.

— On se tait ! gronda la femme. Je me fiche de ce que tu as à dire. Alors finissons-en. Dans la calèche, je te prie. On rentre à l'orphelinat.

— Quoi ? s'écria Wilma. Non, je ne veux pas ! Je…

— Faut-il vraiment que Wilma reparte tout de suite ? intervint Théodore alors que Mme Skratch attrapait Wilma par les épaules de ses doigts osseux. Cette enfant a subi un choc terrible. Est-ce bien nécessaire ? Et puis ce n'est pas moi qui vous ai envoyé ce télégramme, madame Skratch !

— Ça m'est bien égal de savoir qui l'a envoyé, riposta Mme Skratch avant de traîner Wilma vers la calèche. Et oui, c'est tout à fait nécessaire. Les orphelins me font gagner de l'argent, c'est aussi simple que cela. Vous n'avez qu'à lire les conditions générales.

Elle flanqua Wilma à l'arrière de la voiture et fouilla de nouveau ses poches pour en sortir un contrat qu'elle agita devant les yeux de Théodore.

— Voilà ! reprit-elle. En bas, en tout petit. « *Dans*

l'éventualité du décès de l'employeur, l'enfant redeviendra immédiatement la propriété de l'orphelinat, qui en fera ce que bon lui semblera. » Elle m'appartient, tant pis pour vous. Bonsoir !

Alors que Mme Skratch tournait les talons et prenait place dans la calèche, Pétrin s'élança pour grimper près de Wilma sur la plate-forme. Mme Skratch le fit tomber d'un violent coup de pied.

— Descends de là, grogna-t-elle. Sale bestiole !

— Mais c'est mon chien ! s'écria Wilma, le visage baigné de larmes. S'il vous plaît, laissez-moi prendre mon chien !

— Les chiens sont interdits ! siffla la cruelle directrice. Et tu le sais très bien. Cocher ! Reconduisez-nous à l'institution, et plus vite que ça !

— C'est scandaleux ! s'écria l'inspecteur Lecitron, les joues rouges de fureur. Vous n'avez pas le droit de traiter un enfant de cette manière !

La calèche fit demi-tour et, au moment où le cocher levait son fouet, Théodore P. Lebon se précipita en avant pour fourrer quelque chose dans la main de Wilma.

— L'énigme du fuseau brisé, Wilma ! s'empressa-t-il d'expliquer. N'oublie pas, il suffit de la pousser ! La pousser !

— Comment ? hoqueta Wilma.

Mais Théodore n'eut pas le temps de répondre. Dans un hennissement sonore et inquiétant, les chevaux partirent au galop. Wilma, désespérée, ne put que regarder disparaître au loin ses trois amis, ainsi que ses rêves de détective et l'espoir de retrouver un jour sa famille. Et dire qu'elle s'apprêtait à y voir plus clair. Elle s'essuya les yeux et ouvrit la main. Dans sa paume se trouvaient un bout de ficelle, une épingle de nourrice et une allumette.

— Il suffit de la pousser ? répéta-t-elle. Mais pousser quoi ?

24. Tout va s'arranger.
(Mais bon, n'y comptez pas trop.)

'Institution pour Petits Malchanceux du Bas était encore plus sinistre et désolée que dans ses souvenirs. Enveloppée dans la brume, ses frêles tourelles transperçant l'obscurité, elle semblait hostile et menaçante. Wilma fut parcourue d'un frisson de détresse. Avant de quitter l'orphelinat, la fillette s'était faite à sa condition et avait su accepter son sort. Mais depuis, elle avait eu la chance de s'adonner au métier de détective et, plus important, elle avait découvert la chaleur de l'amitié. Ce retour en arrière était l'expérience la plus accablante de sa jeune vie.

— Suis-moi, Tenderfoot, gronda Mme Skratch lorsque la calèche s'arrêta aux portes de l'orphelinat.

Elle attrapa Wilma par le col et lui fit traverser des couloirs sombres et hostiles, où l'on n'entendait que les bottes de la directrice résonner sur les murs de pierre. La seule décoration de tout le bâtiment était une immense tapisserie où figurait la devise de l'orphelinat : « TOUT VA S'ARRANGER. MAIS BON, N'Y COMPTEZ PAS TROP. » Cette phrase n'avait jamais redonné courage à quiconque, mais pour être honnête, dans un établissement abritant des orphelins malchanceux, il vaut mieux éviter de donner de faux espoirs.

Wilma s'attendait à retrouver sa place au dortoir. Elle fut donc surprise (et pour tout dire, un peu inquiète) quand elle se rendit compte qu'on la conduisait dans les caves de l'orphelinat. L'air sentait l'humidité et la crasse et, en passant devant la laverie, elle trébucha sur un tas de chaussettes moisies et de pantalons boueux. Au bout du couloir de pierre se dressait une lourde porte en fer, une grosse clé logée dans la serrure. Mme Skratch l'ouvrit péniblement et agita la clé sous le nez de Wilma.

— Tu resteras ici jusqu'à ce que j'en aie décidé autrement ! aboya-t-elle avant de précipiter Wilma dans sa cellule. Tu en profiteras pour réfléchir à ta misérable existence.

Et sur ces mots, elle claqua violemment la porte. Wilma se retrouva abandonnée, avec pour seule compagnie l'écho de la clé tournant dans la serrure et le bruit des talons de la directrice qui s'éloignait rapidement.

« Eh bien, me voici dans de beaux draps », pensa Wilma.

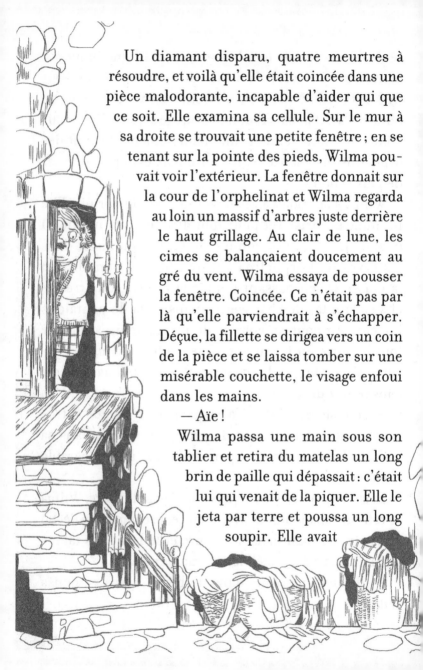

Un diamant disparu, quatre meurtres à résoudre, et voilà qu'elle était coincée dans une pièce malodorante, incapable d'aider qui que ce soit. Elle examina sa cellule. Sur le mur à sa droite se trouvait une petite fenêtre ; en se tenant sur la pointe des pieds, Wilma pouvait voir l'extérieur. La fenêtre donnait sur la cour de l'orphelinat et Wilma regarda au loin un massif d'arbres juste derrière le haut grillage. Au clair de lune, les cimes se balançaient doucement au gré du vent. Wilma essaya de pousser la fenêtre. Coincée. Ce n'était pas par là qu'elle parviendrait à s'échapper. Déçue, la fillette se dirigea vers un coin de la pièce et se laissa tomber sur une misérable couchette, le visage enfoui dans les mains.

— Aïe !

Wilma passa une main sous son tablier et retira du matelas un long brin de paille qui dépassait : c'était lui qui venait de la piquer. Elle le jeta par terre et poussa un long soupir. Elle avait touché son rêve du bout des doigts. Elle était persuadée qu'après la mort de Mme Ronchard, cela n'aurait plus été qu'une question de temps avant que le détective ne lui demande d'être son apprentie. Et avec un bon entraînement, elle aurait peut-être réussi à percer les secrets de son passé. Mais Mme Skratch avait tout gâché, et Wilma n'avait pas su persuader Théodore P. Lebon de la retenir.

À l'extérieur, le vent avait forci et mugissait dans les arbres. Wilma donna des coups de pied de frustration dans les dalles en pierre. Elle jeta un regard triste à son étiquette à bagage et à son tableau d'enquête tout froissé, et soupira de nouveau.

— Pétrin…, murmura-t-elle avec nostalgie.

Mais penser à son meilleur ami lui était encore trop douloureux. Wilma s'étendit sur sa couchette, le visage au creux du coude, et enfin, elle fondit en larmes. Puis, résignée, elle finit par sombrer dans un sommeil agité.

Alors qu'elle dormait, le vent se mit à hurler, comme pour accompagner ses tristes rêves. Mais peu à peu, un son plus familier s'y mêla,

un son qui n'avait rien à voir avec celui du vent fouettant les cimes. Wilma émergea péniblement de ses rêves au moment où les premières lueurs de l'aube entraient par la fenêtre. Elle se frotta les yeux avec son tablier et se redressa pour mieux écouter. Elle l'entendit de nouveau… un son plus grave que le vent, elle était sûre de l'avoir déjà entendu quelque part. Il cessa et, pendant quelques minutes, Wilma crut même l'avoir imaginé. Mais voilà que ça recommençait ! Une sorte de plainte, un aboiement plus fort que le vent. Mais oui ! Wilma se précipita à la fenêtre et se mit sur la pointe des pieds.

— Pétrin ! cria-t-elle, riant et pleurant à la fois.

Car c'était bien lui, assis sagement devant le grillage, qui appelait Wilma. Elle n'en croyait pas ses yeux.

— Il a dû courir depuis tout là-bas ! bredouilla-t-elle.

La fillette cogna du poing contre la fenêtre.

— Pétrin ! Je suis là !

Le beagle avait la tête levée vers le ciel et hurlait à la mort, mais dès qu'il entendit son nom, ses oreilles se dressèrent et il se tourna vivement vers la fenêtre en bas du mur devant lui. Wilma toqua de nouveau sur le carreau et agita furieusement la main. Pétrin émit un jappement tout excité, fit un tour sur lui-même et aboya trois fois pour faire bonne mesure. Wilma éclata de rire. Voir son beagle lui fit retrouver toute sa détermination. Il fallait absolument qu'elle s'échappe. Théodore P. Lebon n'abandonnait jamais, et elle se devait d'être à la hauteur ! Mais comment faire ?

Elle s'éloigna de la fenêtre et mit les mains dans la poche de son tablier. Et là, sous ses doigts, elle sentit l'allumette, la ficelle et l'épingle de nourrice que le détective Lebon lui avait données. Comment avait-elle pu oublier ? Elle les sortit de sa poche et les examina. Que lui avait-il dit, au fait ?

— « *Il suffit de la pousser, Wilma* », répéta-t-elle à voix haute en plissant le front. Et quoi encore ? Il a mentionné une énigme, non ? L'énigme du fuseau brisé, je crois. Une minute ! s'écria-t-elle soudain. Je dois l'avoir sur mon Porte-Indices !

Elle saisit le carnet de coupures de journaux accroché à sa ceinture et se mit à genoux pour le feuilleter, ouvrant chaque article un par un jusqu'à ce qu'elle trouve cette énigme particulièrement ancienne.

— Voilà ! *L'énigme du fuseau brisé : enfermé dans une pièce... impossible de sortir... il n'avait avec lui qu'une allumette, un bout de ficelle et une épingle de nourrice !*

Wilma attrapa les trois objets et courut jusqu'à la porte.

— *Il s'est servi de l'allumette pour pousser la clé afin qu'elle tombe de l'autre côté de la porte !* Mais alors, il veut que je m'échappe !

La main tremblante d'excitation, Wilma enfonça l'allumette dans le trou de la serrure.

— Oh non ! gémit-elle, décontenancée. Elle est trop courte, comment est-ce que je vais faire ? Il me faut quelque chose de plus long !

Wilma fouilla toute la pièce du regard.

— La paille ! hurla-t-elle enfin en se jetant sur le brin qui l'avait si douloureusement gênée quelques heures avant.

Elle revint à la serrure et l'y inséra jusqu'à ce qu'elle sente la résistance de la clé. Lentement mais fermement, elle poussa et tortilla la paille jusqu'au moment où, avec un cliquetis, elle entendit la clé se libérer de son logement. Sans lâcher son outil de fortune, Wilma poussa une dernière fois et, à son grand soulagement, elle entendit la clé jaillir du trou et tomber sur le sol derrière la porte. Elle avait réussi ! Wilma se mit à quatre pattes pour regarder à travers l'interstice sous la porte, et elle vit la clé. Mais encore fallait-il la récupérer. Vite, l'article ! *Il a attaché une épingle de nourrice à un bout de ficelle, a ouvert l'épingle, puis il l'a lancée sous la porte et s'en est servi comme d'un crochet pour ramener la clé vers lui !* — Génial ! Absolument génial !

Wilma suivit les instructions à la lettre et, d'une chiquenaude, elle envoya son hameçon sous la porte. Elle tira la ficelle en biais pour mettre l'épingle en position, puis, lentement, très lentement, elle la fit glisser vers la clé. Au bout de cinq tentatives, le bout de l'épingle se prit dans la clé. Wilma tira sur la ficelle avec précaution. Miracle ! Cela marchait ! Elle tira une dernière fois : la clé était maintenant sous la porte. Wilma tendit la main et enfin, elle put s'en saisir. Elle se leva, triomphante.

— J'arrive, Pétrin ! cria-t-elle. Rien ni personne n'arrête Wilma Tenderfoot !

Elle ouvrit la porte et se précipita dans les couloirs sombres et humides. Effectivement, je ne vois pas ce qui aurait pu l'arrêter.

25. Lavande au chloroforme

— Inspecteur! appela Théodore.

Posté devant le musée, le détective fit un signe à son imposant ami qui se dirigeait vers lui, en sueur.

— Dépêchez-vous, nous sommes en retard pour aller voir le conservateur. Ensuite, nous devons encore nous rendre à l'arboretum pour voir ce fameux cynta et peut-être dénicher d'autres indices. Avez-vous trouvé quelque chose ?

— Absolument, souffla l'inspecteur qui avait rejoint le détective et lui tendait maintenant un dossier. Apparemment, dans ses jeunes années, Mme Ronchard était la charmante assistante d'un illusionniste au cirque Grimabulle. Mieux encore, la propriétaire est toujours en vie. Nous pouvons la retrouver et lui poser des questions sur le mystérieux compagnon de la photo.

— Intéressant, dit Lebon, songeur. Beau travail, Lecitron !

— Dites, Lebon, haleta l'inspecteur qui devait trottiner pour suivre la foulée énergique du détective, nous aurions pu nous contenter d'envoyer une lettre au conservateur. Est-il vraiment nécessaire d'aller jusqu'au musée ? Je viens à peine de finir mon petit déjeuner !

— Vous savez, Lecitron, il y a parfois beaucoup à tirer d'une simple rencontre, déclara mystérieusement Théodore avant d'ouvrir la porte devant eux. Bonjour, monsieur le conservateur, bonjour, miss Mascara. Je vous prie d'excuser notre retard, mais l'inspecteur devait me rendre un petit service.

— La fillette n'est pas avec vous, aujourd'hui ? demanda miss Mascara en regardant par-dessus l'épaule du détective.

Assise à un petit bureau, elle faisait une réussite et maniait ses cartes avec dextérité. Elle avait lâché ses cheveux sur ses épaules et portait une veste orange très ajustée. Sur le revers de celle-ci était épinglée une élégante broche en diamant en forme de serpent. Théodore secoua la tête.

— Non, malheureusement, elle a dû être reconduite à l'orphelinat hier soir, suite à l'assassinat de sa maîtresse.

— C'est vraiment dommage, marmonna le conservateur qui s'était éloigné pour ranger sa canne dans une commode.

— Très intéressants, vos ciseaux, commenta soudain

l'inspecteur, le doigt pointé sur le bureau de miss Mascara. À quoi servent-ils ?

— C'est un sécateur d'horticulteur, répondit miss Mascara en repoussant une boucle qui lui tombait devant les yeux. Pour les bonsaïs. J'ai un faible pour ces arbres, comme vous pouvez le voir.

De sa main aux ongles vernis, elle désigna trois piédestaux, juste derrière l'inspecteur, qui soutenaient chacun un arbre miniature finement taillé. Elle se dirigea à petits pas vers le plus proche et, d'un coup de sécateur, elle se débarrassa d'une branche récalcitrante. L'inspecteur ne perdit pas une miette de ce spectacle et suivit des yeux la chute de la branche.

— Alors comme ça, vous vous intéressez aux plantes ? demanda-t-il.

— Oh, je m'intéresse à tout ce qui est beau, inspecteur, répondit miss Mascara avec un élégant haussement d'épaules. Tout comme vous, monsieur Lebon, ajouta-t-elle en observant Théodore sous ses longs cils. Je suis sûre que vous savez apprécier les belles choses.

Le détective soutint son regard jusqu'à l'intervention du conservateur.

— Cela suffit, miss Mascara, grogna-t-il.

— Dites-moi, reprit l'inspecteur, les yeux plissés, vous avez déjà vu un cynta ?

Miss Mascara détourna les yeux et se rapprocha du deuxième arbre.

— J'en ai entendu parler, bien sûr. Mais je n'en ai jamais vu.

— Un cynta ? toussota le conservateur. Pourquoi ? Qu'est-ce que c'est ?

— Eh bien...

L'inspecteur s'éclaircit la gorge, mais avant qu'il ait pu prononcer un mot de plus, Théodore intervint.

— Ce n'est pas le but de notre visite.

Le grand détective fouilla les immenses poches de son pardessus pour en tirer le carnet de commandes en cuir tout défraîchi. Il le tendit au conservateur.

— Ceci appartenait au faussaire, expliqua-t-il. Il y a là toutes les commandes, et le nom des clients. Mais il est crypté.

— Et vous êtes parvenu à déchiffrer le code ? demanda le conservateur, qui s'était mis à feuilleter fiévreusement le carnet.

— Pas encore, non, répondit Théodore.

— Comment vous l'êtes-vous procuré ?

— C'est Wilma. Elle l'a arraché des mains de Barbu d'Anvers lui-même, dit fièrement l'inspecteur Lecitron.

— À sa place, j'aurais probablement envie de la tuer, dit miss Mascara d'un ton songeur, un œil sur le carnet de commandes.

— Mais elle est en sécurité à l'orphelinat, maintenant, ajouta le conservateur. Au moins, elle évitera de s'attirer des ennuis.

— Oh, n'y comptez pas trop ! s'esclaffa l'inspecteur

Lecitron. Théodore lui a donné tout ce dont elle avait besoin pour s'échapper ! Cette fillette est si déterminée qu'elle est probablement déjà sortie. D'ailleurs, elle aura sûrement mis la main sur le coupable avant nous ! Ha ha !

Et il jeta un regard accusateur à miss Mascara. Théodore serra la mâchoire et posa une main sur le bras de son ami pour le faire taire.

— Merci, inspecteur, dit-il, mais je suis sûr que le conservateur n'a que faire des allées et venues d'une enfant de dix ans.

— Vous avez bien raison, répliqua le conservateur en se levant. J'ai beaucoup à faire. Prévenez-moi quand vous en saurez plus sur ce carnet, entendu, Lebon ? Miss Mascara, voulez-vous bien envoyer cette lettre au ministère ?

— Je vais plutôt l'envoyer par télégramme, répondit miss Mascara en prenant le papier que lui tendait son employeur, c'est beaucoup plus rapide.

Elle s'enroula dans un grand châle sombre et se tourna vers le détective.

— Monsieur Lebon, ce fut un plaisir, comme toujours.

Et sur ces mots, elle s'éclipsa. L'inspecteur donna un coup de coude à son ami.

— Dites, marmonna-t-il, vous ne croyez pas que…

— Pas maintenant, inspecteur, le conservateur n'a pas que cela à faire, l'interrompit vivement Théodore. D'ailleurs, nous non plus. Monsieur le conservateur, merci de nous avoir reçus.

— Mais…, bredouilla l'inspecteur alors que Théodore le poussait sans ménagement dehors.

Le détective ferma la porte derrière lui en faisant signe à Lecitron de garder le silence, puis s'éloigna rapidement. L'inspecteur enfila son chapeau et pressa le pas pour suivre son ami.

— Mais vous ne trouvez pas cela suspect, vous ? insista-t-il. Que miss Mascara en sache autant sur les arbres et les télégrammes ? Et ses ongles rouges ? Et puis, je l'ai trouvée nerveuse.

— En effet, cette histoire commence à s'éclaircir, commenta Théodore. Dites, inspecteur, vous avez toujours la lavande que nous avons trouvée chez Mme Ronchard ?

— Juste là, dans ma veste, Lebon. Emballée, bien sûr. Vous savez, la procédure habituelle, tout ça.

Il extirpa un sachet en plastique de sa poche, mais le détective avait sorti son carnet et s'était mis à griffonner fiévreusement. Il ne vit pas Lecitron approcher le sachet de son visage. L'inspecteur continua :

— Quand même. Bizarre qu'elle ait été assassinée, elle aussi. Je ne vois vraiment pas ce qu'elle vient faire dans toute cette histoire. Aah, j'adore l'odeur de la lavande, ajouta-t-il distraitement.

Et il ouvrit le sachet pour inspirer profondément. Théodore lui tournait le dos et faisait maintenant rouler sa moustache entre deux doigts, perdu dans ses pensées.

— Mmm, commenta-t-il, en effet, il est très étrange que Mme Ronchard se soit ajoutée à notre longue liste de victimes. Sa mort n'a servi qu'à renvoyer Wilma à l'orphelinat. À moins que…

Il écarquilla soudain les yeux.

— J'ai un terrible pressentiment, dit-il du ton le plus sérieux qu'il ait jamais employé. Wilma court un grave danger.

— Wilma…, répondit l'inspecteur d'une voix traînante. Danger… je…

Théodore se retourna vivement, juste à temps pour voir son ami tourner de l'œil et s'effondrer. Le détective prit Lecitron dans ses bras et lui arracha le sachet des mains. Il l'approcha de son nez avec précaution, mais presque instantanément, il recula et le jeta au loin.

— C'est bien ce que je pensais : du chloroforme ! L'assassin utilise de la lavande infusée dans du chloroforme pour endormir ses victimes avant de les tuer !

Au-dessus de sa tête se trouvait un petit vase avec des fleurs, sur une table. Le détective enleva les fleurs et jeta l'eau au visage de l'inspecteur Lecitron.

— Qu'est-ce que… ? balbutia l'inspecteur en revenant à lui. Dites… Pas besoin de… Qu'est-ce que vous disiez pour Wilma ?

— Elle est en très grand danger, inspecteur. Nous n'avons pas un instant à perdre !

— Mais elle est dans cet affreux orphelinat, dit l'inspecteur en se relevant tant bien que mal. Que voulez-vous qu'il lui arrive ?

— Elle s'est peut-être déjà échappée, répondit Théodore avant de se ruer vers la sortie. Je n'aurais jamais dû lui dire comment faire ! Vite, nous devons être les premiers à la retrouver.

L'inspecteur le regarda partir, hébété.

— Alors attendez-moi, Lebon ! cria-t-il soudain.

Et pour la première fois en dix ans, il courut aussi vite que ses jambes le lui permettaient.

26. Le pire est encore à venir

ilma avait mis le cap sur la cuisine. Si elle parvenait à y entrer sans se faire repérer, elle pourrait alors passer par la petite porte qui menait à l'arrière-cour des poubelles. Là, elle pourrait escalader la montagne de déchets pour monter sur le mur en brique qui entourait la cour. Elle atterrirait ensuite dans le carré de pommes de terre qui longeait le grillage où elle avait repéré une brèche. Si elle rentrait le ventre et croisait les doigts, elle arriverait peut-être à s'y glisser et à s'échapper.

Heureusement pour elle, c'était juste avant le déjeuner, quand les pensionnaires de l'orphelinat se rendent tous à la mine. Là, ils doivent déplacer des énormes tas de charbon, et quand ils ont fini, les remettre là où ils les avaient trouvés. Cependant, Wilma devait quand même se méfier. Elle ouvrit lentement la porte de la cuisine et y entra à pas de loup. Elle était au milieu de la pièce quand elle entendit un bruit de talons juste à côté d'elle, et elle sentit chacun de ses muscles se raidir : Mme Skratch était dans le cellier. Elle n'avait nulle part où se cacher. Que faire ?

Ce jour-là, Mme Skratch avait décidé de prendre plus d'oignons que d'habitude avec son dessert. En effet, dans l'après-midi, elle avait prévu de punir Franklin Muselette, un garçon de neuf ans, et elle voulait avoir l'haleine la plus fétide possible pour lui crier dessus correctement. Elle venait d'empiler un premier tas d'oignons émincés sur sa charlotte au chocolat quand elle s'arrêta net, releva la tête et fronça les sourcils. Il lui semblait avoir entendu quelque chose… On aurait dit qu'il y avait quelqu'un dans la cuisine. Elle posa son couteau et passa la tête par la porte du cellier pour scruter la pièce.

— Il y a quelqu'un ? aboya-t-elle.

Pas de réponse. Mme Skratch plissa lentement les yeux. Elle était sûre d'avoir entendu quelque chose, et elle savait que les petits malchanceux ne manquaient jamais une occasion de chaparder de la nourriture. Elle se pencha lentement pour regarder sous le billot de cuisine. Rien.

— Je sais qu'il y a un enfant ici, déclara-t-elle bien fort. Je le sens. Alors tu as tout intérêt à sortir immédiatement de ta cachette. Sinon, tu auras affaire à moi !

Un silence pesant s'installa. Mme Skratch serra les

lèvres et jeta des regards rapides à droite et à gauche pour repérer le moindre mouvement. C'est là qu'elle vit quelque chose d'anormal. Dans un coin, près d'un tonneau de choux de Bruxelles, les cuisiniers avaient accroché leurs tabliers sur une rangée de portemanteaux. Or, l'un des tabliers avait une drôle de bosse.

— Ah ah ! murmura la méchante directrice. Je te tiens.

Elle s'avança sur la pointe des pieds, son bras osseux tendu en avant, et dès que le tablier fut à portée de main, elle bondit et l'arracha de son crochet ! Une serpillière coincée derrière tomba alors par terre. Mme Skratch eut l'air très déçue. Elle examina une dernière fois la pièce puis revint au cellier, où elle engloutit une énorme cuillerée de sa charlotte au chocolat pleine d'oignons.

Dans la cuisine, un autre tablier se mit alors à remuer dans un froissement. Wilma, qui avait retenu sa respiration, terrorisée à l'idée d'être découverte, poussa un soupir de soulagement et quitta rapidement sa cachette pour rejoindre la porte de derrière. Une fois dans l'arrière-cour, elle escalada péniblement le tas de pelures de légumes et de gras de viande, se hissa sur le mur d'enceinte et se laissa tomber dans le carré de pommes de terre. Elle courut le long des plants sans oser se retourner. Les feuilles lui fouettaient les genoux. Elle atteignit le grillage à l'endroit où se trouvait la minuscule brèche. Pétrin, qui l'avait vue traverser le jardinet au pas de course, se précipita à sa rencontre avec des petits jappements enthousiastes. Wilma se tortilla, rentra le ventre et réussit à passer de l'autre côté du grillage. Fou de joie, Pétrin lui sauta dans les bras et se mit à lui lécher avidement le visage.

— Beurk ! s'écria Wilma en riant, avant d'essuyer la bave de chien sur ses joues. Moi aussi, je suis contente de te voir ! Mais on ne peut pas rester ici, c'est beaucoup trop dangereux. Il faut qu'on retrouve M. Lebon. Essayons de deviner où il est.

Wilma sortit son tableau d'enquête tout froissé de la poche de son tablier.

— Tout a commencé avec le diamant dans la chambre forte. Ensuite, Alan Kastoran et sa tante ont été assassinés. Ensuite, la pierre s'est dissoute dans la boîte (mais ce n'était pas la vraie pierre, ça, on le sait déjà : quelqu'un l'avait échangée contre une imitation en faisant un tour de magie avec ses mains). Ensuite, celui qui a fabriqué la fausse a aussi été tué. Avec une fléchette que tu as retrouvée, Pétrin. Bien joué. Mais ensuite, tu l'as avalée. Ça,

c'était moins bien joué. En tout cas, la fléchette a été tirée depuis la grille d'aération, ce qui est important, je trouve. Ensuite, j'ai retrouvé le carnet de commandes, mais il était plein de rébus. Ensuite, Mme Ronchard a été assassinée. Et puis il y a l'affiche, aussi, celle de la malle à costumes. Et puis il y a la lavande, et l'écaille de poisson, et le faux ongle. Ah, et des tas de cœurs qui se sont retrouvés gelés. Ça aussi, c'est important.

Wilma se tut et laissa échapper un petit soupir de

concentration. Elle tapota le crayon contre ses lèvres et étudia les images qu'elle venait de dessiner. Pétrin leva une patte et la posa sur les nouveaux indices du tableau d'enquête.

— La grille d'aération ? C'est ça que tu veux me montrer ?

Le chien remua ses longues oreilles.

— Je crois que tu as raison. C'est un gros indice, mais personne n'a enquêté dessus pour l'instant. Et puis M. Lebon a dit que s'il pouvait découvrir l'assassin de Visser, l'affaire serait résolue ! C'est ça ! Je suis sûre qu'on va retrouver M. Lebon là-bas ! Et puis même s'il n'y est pas, il faut qu'on y aille, nous ! Comme ça, on l'aidera à faire ses dernières déductions. Je sais bien qu'il m'a dit de ne plus chercher des indices et de ne plus le suivre, mais je ne travaille plus pour Mme Ronchard, maintenant. Et si j'arrive à dénicher l'indice qui permet à M. Lebon de résoudre toute l'énigme, alors c'est sûr et certain qu'il voudra que je devienne son apprentie ! C'est vrai qu'il a aussi dit que la grille d'aération ne serait peut-être pas un indice très intéressant, mais c'est sûrement parce que l'inspecteur et lui sont trop gros pour rentrer dedans. D'ailleurs, je suis sûre que c'est pour cela qu'il voulait que je m'échappe : pour aller explorer à sa place. Tous les jours, après le déjeuner, il y a une charrette qui vient chercher le courrier de l'orphelinat et qui repart en ville. Si on arrive à se glisser à l'arrière sans se faire repérer, on arrivera encore plus vite. Oh, Pétrin ! s'écria-t-elle en serrant le chien contre son cœur. Je t'aime tellement !

Hélas, qui aurait pu se douter qu'au moment où nos deux héros grimpaient à l'arrière de la charrette postale et se faufilaient sous la bâche, Théodore lui-même venait à leur rencontre ? Oui, accompagné d'un inspecteur Lecitron trempé de sueur, le détective arrivait alors dans l'autre sens, perché sur son tandem. Lorsque Théodore commença à tambouriner à la porte de l'orphelinat, Wilma et Pétrin étaient déjà loin. Et chaque seconde les rapprochait un peu plus d'une mort certaine.

Oh ! là, là ! Ce n'est pas le moment de refermer le livre, car le pire est encore à venir.

27. Ramper droit vers l'inconnu

— **N**ous sommes tout seuls, chuchota Wilma après avoir jeté un coup d'œil dans l'atelier de Visser, plus tard cet après-midi-là. Fais attention où tu marches, Pétrin, il y a des débris partout.

Wilma avança prudemment jusqu'à la grille d'aération. Elle grimpa sur un tabouret et, d'une main, fit glisser le cache du conduit pour regarder dans le sombre tunnel.

— Il faudrait un peu plus de lumière, dit-elle à Pétrin. Tu peux essayer de trouver une bougie ?

Pétrin se retourna et examina la pièce. Le sol était jonché du contenu renversé de tiroirs et de boîtes. La truffe plaquée au sol, il se mit au travail, dénicha quelque chose, le ramassa et l'apporta à Wilma.

— Non, dit patiemment Wilma. Ça, c'est une chaussette.

Et une chaussette, ça n'éclaire rien du tout. Attends, je vais t'aider.

Elle descendit de son tabouret et se mit à quatre pattes pour fourrager parmi les détritus.

— Les gens gardent toujours des bougies dans les tiroirs en cas d'urgence, expliqua-t-elle à Pétrin (qui ne l'écoutait pas vraiment car il était trop occupé à ronger la chaussette qu'il tenait entre ses deux pattes de devant). Et comme c'est une urgence, il faut absolument qu'on en trouve une. Ah ah !

Triomphante, Wilma se redressa, une moitié de bougie à la main.

— Et j'ai encore l'allumette que M. Lebon m'a donnée, ajouta-t-elle en mettant la main dans la poche de son tablier.

L'établi renversé à sa droite avait un bord rugueux. Elle y frotta l'allumette qui s'enflamma dans un crépitement. Une fois la bougie allumée, Wilma se fraya un chemin jusqu'à la grille, puis se ravisa et se tourna vers son beagle.

— Pétrin, tu ne peux pas venir avec moi. C'est trop dangereux pour un chien. Je vais écrire un mot que tu devras apporter à M. Lebon, parce qu'il voudra sûrement qu'on se retrouve pour faire des tas de déductions ensemble. Enfin, pour ça, il faut d'abord que je déniche tout plein d'indices.

Tout en parlant, Wilma griffonnait sur son carnet. Elle arracha la page et se pencha pour coincer le petit mot dans le collier de Pétrin.

— Voilà. Va trouver M. Lebon, Pétrin ! Apporte-lui mon message !

Tous les petits chiens au grand cœur reçoivent un jour l'appel du destin. Lorsque Pétrin entendit et reconnut le nom du grand détective, et qu'il vit sa chère amie partir vaillamment au combat, il sut qu'il devrait courir aussi vite que ses quatre pattes le lui permettraient. Et c'est exactement ce qu'il fit.

Une fois que Pétrin eut disparu par la porte, Wilma se hissa dans le conduit d'aération et se mit à progresser tant bien que mal.

— Celui qui a tué Visser, haleta-t-elle, a dû ramper jusqu'en bas pour se servir de sa sarbacane. Alors, pour le retrouver, je n'ai plus qu'à suivre le conduit jusqu'à son point de départ. Si je compte, ça fait donc l'espionnage des suspects, la découverte d'indices et même la fuite tortueuse. Génial. En plus, je me comporte avec drôlement de sérieux, et c'est le petit truc numéro neuf. M. Lebon sera fier de moi.

Le conduit tourna à droite, puis à gauche, puis plongea vers le bas jusqu'à une sorte de cul-de-sac tout noir. Dès que Wilma se rapprocha, elle comprit que le tunnel remontait à la verticale au-dessus de sa tête. Des échelons métalliques étaient fichés dans la brique et, en insistant un peu, Wilma parvint à se glisser dans un long puits. L'escalade se révéla ardue, car la moisissure et la mousse rendaient les barreaux très glissants. De temps en temps, sa bougie éclairait d'étranges insectes rampant

à quelques centimètres de son visage. Wilma était déterminée à ne pas crier ni pleurer, car ce n'était pas le comportement d'un détective digne de ce nom. Les dents serrées, elle gardait les yeux rivés sur les échelons et continuait son ascension.

Wilma ne voyait pas plus loin que la faible lueur de sa bougie, aussi fut-elle très surprise lorsque sa tête heurta un gros couvercle métallique. Elle le souleva d'une main et réussit à s'extraire de son tunnel, mais dut rester à quatre pattes. Elle leva sa bougie et regarda autour d'elle. Dans l'obscurité, elle parvint à déterminer qu'elle se trouvait maintenant à un embranchement dont partaient non plus un, mais cinq tunnels différents. Elle fit un tour sur elle-même.

— Lequel faut-il emprunter ? se demanda-t-elle à voix haute. Et comment savoir si c'est le bon ?

Tout en promenant la bougie autour

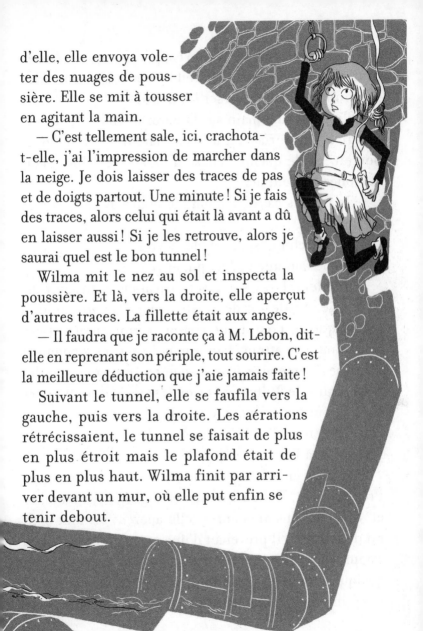

d'elle, elle envoya vole-
ter des nuages de pous-
sière. Elle se mit à tousser
en agitant la main.

— C'est tellement sale, ici, crachota-
t-elle, j'ai l'impression de marcher dans
la neige. Je dois laisser des traces de pas
et de doigts partout. Une minute ! Si je fais
des traces, alors celui qui était là avant a dû
en laisser aussi ! Si je les retrouve, alors je
saurai quel est le bon tunnel !

Wilma mit le nez au sol et inspecta la
poussière. Et là, vers la droite, elle aperçut
d'autres traces. La fillette était aux anges.

— Il faudra que je raconte ça à M. Lebon, dit-
elle en reprenant son périple, tout sourire. C'est
la meilleure déduction que j'aie jamais faite !

Suivant le tunnel, elle se faufila vers la
gauche, puis vers la droite. Les aérations
rétrécissaient, le tunnel se faisait de plus
en plus étroit mais le plafond était de
plus en plus haut. Wilma finit par arriver devant un mur, où elle put enfin se
tenir debout.

— Les traces s'arrêtent d'un coup, remarqua-t-elle en promenant sa bougie devant elle. Ce n'est pas possible ! Personne ne peut traverser les murs !

Wilma mit une main sur la paroi et laissa ses doigts courir sur la surface, à la recherche d'un creux, d'un bouton, ou de quelque chose d'inhabituel. Elle recula et fronça les sourcils.

— Je ne vois pas de bouton secret devant moi, et rien sur les côtés.

Elle réfléchit et se tapota les lèvres.

— Il me faut une déduction, et vite.

Wilma leva alors les yeux vers le plafond et en approcha sa bougie. Au-dessus de sa tête pendait un gros anneau métallique au bout d'une chaîne. Wilma sourit. D'un seul bond, elle attrapa l'anneau et tira. Un grondement sourd se fit entendre, le mur se mit à grincer et, sous les yeux ébahis de Wilma, les briques se déplacèrent toutes seules pour former petit à petit un escalier.

— Eh ben ça alors ! s'exclama-t-elle. Vivement que je raconte ça à Pétrin.

L'escalier en colimaçon montait droit vers l'inconnu. Prudemment, Wilma commença à gravir les marches et, quelques instants après, elle aperçut un tout petit rai de lumière. Il provenait d'une porte en bois. Wilma s'approcha. Elle entendait de plus en plus distinctement quelqu'un remuer de l'autre côté. Le cœur battant, elle posa une main tremblante sur l'embrasure de la porte et colla son œil devant une minuscule fissure. Elle vit alors un bureau très luxueux : des bibliothèques, un grand bureau, et juste derrière, une sorte de piédestal avec un arbre miniature. Soudain, tout devint noir, et avec horreur, la fillette de dix ans se rendit compte que quelqu'un se tenait devant la porte. Elle retint un cri. Si seulement elle arrivait à voir qui c'était ! Elle scruta avec plus d'attention que jamais et finit par comprendre qu'elle avait devant les yeux une sorte de fourrure. Qu'est-ce que ça pouvait bien être ? Puis la personne de l'autre côté de la porte s'avança et la fillette comprit.

Dos à Wilma se tenait une femme aux cheveux noirs rassemblés en un chignon serré, un châle noir sur ses épaules. On aurait dit miss Mascara ! Wilma recula à nouveau.

« Miss Mascara ? se dit-elle. Je dois être arrivée au musée ! Mais comment l'assassin a-t-il pu partir de là ? Oh non ! Et s'il était encore à l'intérieur ? Il faut que je la prévienne ! »

Wilma se rua sur la poignée de la porte et se précipita dans la pièce.

— Miss Mascara ! cria-t-elle. Vous devez sortir d'ici, c'est dangereux !

À ces mots, miss Mascara se raidit et se retourna lentement.

Wilma étouffa un cri et fit un pas en arrière.

— Mais vous…, dit-elle lorsque son dos heurta le mur. Je ne comprends pas… le faux ongle… je comprends, maintenant… mais c'est impossible ! C'est imp…

Hélas, Wilma n'eut pas le loisir de finir sa phrase, car une entêtante odeur de lavande mêlée à du chloroforme lui emplissait déjà les narines.

Je vous l'avais bien dit, que le pire était à venir. Vous ne trouvez pas ça terrifiant, vous ?

28. Le pire serait-il arrivé ?

Sans crier gare, un épais brouillard avait envahi les rues du Bas. Barbu d'Anvers, le plus ignoble bandit de l'île, était enveloppé dans sa cape, Janty à ses côtés. Ils s'étaient rendus aux *Douze Queues de Rat*, le refuge de toutes les crapules de Cooper. Tous deux n'avaient qu'une idée en tête : la vengeance.

— Je ne l'ai vue nulle part, monsieur Barbu, dit Tully en surgissant de la brume.

— Personne, grinça Barbu, le vent ébouriffant ses cheveux de jais, je dis bien personne n'a le droit de me doubler. Tully, va à l'intérieur et ramène-moi Pif Deguingois. Dis-lui que je voudrais lui parler.

— Oui, monsieur Barbu, répondit l'imposant acolyte. Vous voulez que je prenne le garçon avec moi ? Pour lui montrer comment on fait ?

Barbu se tourna légèrement vers Janty.

— Non, ce ne sera pas nécessaire. Aucun gredin qui se respecte ne se salit les mains avec de basses besognes. Voilà ta deuxième leçon, Janty. Il faut toujours avoir une brute à son service. Et plus il est bête, mieux c'est.

Janty acquiesça. Le vent glacial qui soufflait dans les rues du port lui piquait les joues, et pour se tenir chaud, il avait tiré les manches de son pull-over sur ses mains. Il savait pourquoi ils étaient là et son cœur était à présent dur comme la pierre. Ils n'étaient pas seulement venus retrouver le rival de Barbu : ils allaient rencontrer celle qui avait tué son père, et il comptait bien le lui faire payer. Il était prêt.

Tully ressortit rapidement, passant avec difficulté la porte branlante du pub.

— Le voilà, monsieur Barbu.

Coincé sous son aisselle, les bras plaqués le long du corps, Pif Deguingois, le mouchard le plus tristement célèbre de l'île, ressemblait à un tapis enroulé. Barbu se mit à lui parler dans l'oreille.

— Pif, dit-il, la dernière fois que nous nous sommes vus, il y avait une femme ici. Elle a essayé de me vendre de la lavande. Qui est-ce ?

— Personne ne le sait, bégaya Pif, effrayé. Elle porte toujours une grande cape avec une capuche. Je voudrais bien vous aider, mais... aïe !

Barbu venait de lui assener un grand coup avec le pommeau argenté de sa canne.

— Dis-moi, aboya-t-il le nez collé à celui du vaurien, tu fais un bien piètre informateur si tu es incapable de me donner une information, tu ne trouves pas ? Si tu ne sais pas qui c'est, alors dis-moi au moins où je peux la trouver !

— Oh ! s'écria Pif. Z'auriez dû le dire plus tôt. Elle était là y a pas cinq minutes. Avec un gros sac sur les épaules. Elle est partie vers les quais.

Barbu serra les dents.

— Alors pourquoi n'as-tu pas commencé par là ? hurla-t-il. Suis-moi Janty. Tully, secoue-le un peu avant de nous rejoindre. Ça lui fera les pieds.

— J'aimerais mieux pas ! cria Pif. Je viens juste d'avaler une très grosse tarte !

Mais Barbu et Janty étaient déjà repartis vers le brouillard. Tully secoua donc vigoureusement Deguingois avant de le jeter sur un tas de bouteilles cassées.

— Oooh, gémit l'informateur, une main sur l'estomac et l'autre devant sa bouche. J'ai horreur de ça !

Théodore griffonnait furieusement. Penché sur le carnet de commandes de Visser, il était plongé dans ses pensées.

— D'accord, on ne sait pas où se trouve Wilma, concéda l'inspecteur Lecitron avant d'attraper une croustille sucrée apportée par Mme Frisquet. Mais il faut voir le bon côté des choses : la personne qui la recherche l'ignore sûrement, elle aussi.

— Ce n'est pas cela qui m'inquiète, inspecteur, répondit le grand détective. Le problème n'est pas que l'assassin risque de retrouver Wilma, mais plutôt que Wilma risque de retrouver l'assassin. Et là, elle sera en grand danger. Ah ah ! ajouta-t-il d'un air triomphant en tapant le livre de la plume de son stylo. C'est bien ce que je pensais ! Il ne me manque plus qu'une chose ou deux…

Il fouilla dans son bureau et en tira un morceau de papier. Il se mit à écrire dessus à toute vitesse et appela :

— Madame Frisquet ? Vous pouvez venir, s'il vous plaît ?

Mme Frisquet apparut dans l'encadrement de la porte. Elle se séchait les mains sur un torchon en laine et portait sa chemise de nuit en laine et des chaussons en laine doublée. L'inspecteur Lecitron, qui ne l'avait encore jamais vue en tenue de nuit, en avala sa salive et se fit silencieux et solennel, comme les grandes personnes quand elles admirent des pneus tout neufs.

— Je voudrais que vous apportiez cette lettre au capitaine Brock, s'il vous plaît. Je veux qu'il aille trouver miss Mascara et qu'il l'arrête immédiatement.

— Ah, ce n'est pas trop tôt ! s'écria l'inspecteur Lecitron.

À ce moment-là, un aboiement retentit sous la fenêtre du bureau. Théodore se releva en un éclair pour ouvrir la fenêtre.

— Pétrin ! cria-t-il. Monte, mon grand ! Bon chien !

Pétrin bondit dans la pièce, la queue basse et l'air exténué. L'inspecteur Lecitron pointa son collier du doigt.

— Et il apporte un message !

Théodore se pencha et détacha le bout de papier.

— Qu'est-ce que ça dit, Lebon ? demanda l'inspecteur en cherchant à voir par-dessus l'épaule du détective. « *Cher monsieur Lebon. Je suis allée dans le conduit d'aération pour trouver d'autres indices.* » Oh, non ! Lebon, c'est exactement ce que nous voulions éviter. Elle veut s'en occuper elle-même.

— Le pire est arrivé, acquiesça Lebon en se relevant, le papier froissé dans son poing. Si j'ai raison — et il vaudrait mieux que ce soit le cas —, alors nous devons nous rendre immédiatement sur les quais.

Sur ce, il se précipita vers la porte.

— Les quais ? cria l'inspecteur Lecitron qui dut courir après son ami pour la deuxième fois de la journée. Mais qu'est-ce qu'elle irait faire sur les quais ?

— Ce n'est pas ce que fait Wilma qui m'inquiète, inspecteur, hurla Théodore par-dessus son épaule en ouvrant d'un coup le portail de la maison, mais ce qu'on va lui faire ! Madame Frisquet, quand vous verrez le capitaine Brock, dites-lui de suivre mes instructions et de nous retrouver ensuite au quai numéro neuf !

— Que les saints nous protègent, haleta l'inspecteur Lecitron avant de sauter sur la selle arrière du tandem. Il faut que nous arrivions à temps ! Il le faut !

— Le quai numéro neuf, répéta Mme Frisquet, un peu confuse, en regardant Théodore, l'inspecteur et Pétrin s'éloigner. Mais que se passe-t-il donc au quai numéro neuf ?

Bonne question !

29. Un sommeil de glace

ilma reprenait peu à peu conscience. Encore trop assommée pour parler, elle se rendait tout de même compte qu'on l'avait enroulée dans un tissu rugueux, comme une épaisse couverture ou un sac en toile. On la transportait quelque part. Elle aurait voulu gigoter et se débattre, mais son corps lourd refusait catégoriquement de lui obéir. Elle n'avait aucun moyen de se défendre.

Il faisait de plus en plus froid. Wilma sentit qu'on la laissait tomber par terre et elle resta étendue sans bouger, à écouter quelqu'un au-dessus d'elle lutter pour ouvrir une porte coulissante en métal. Un souffle d'air glacial la frappa et une forte odeur de poisson lui emplit les narines. Toujours immobilisée, elle se laissa traîner lourdement par terre.

Soudain, quelqu'un arracha le sac, il y eut une lumière aveuglante et Wilma fut précipitée au sol. Elle se trouvait dans une pièce vivement éclairée, mais, toujours assommée, elle n'arrivait pas à ouvrir complètement les yeux. Elle ne distinguait que des formes floues : l'ombre d'une personne au-dessus d'elle, entrant et sortant de son champ de vision, et à sa droite, quantité de plateaux ou de palettes empilés les uns sur les autres.

Maintenant qu'elle était sortie du sac, Wilma avait encore plus froid. Les effets du chloroforme commençaient à se dissiper et elle trouva la force de se rouler en boule pour se tenir chaud.

— Tu t'es encore mêlée de ce qui ne te regardait pas, Wilma Tenderfoot, dit une voix étouffée que la fillette eut du mal à reconnaître. Mais c'est la dernière fois. Tous ceux qui se sont mis en travers de mon chemin sont morts. Les fouineurs doivent être punis. Personne ne t'a appris cela, à l'orphelinat ? Eh bien, maintenant, c'est fait. Retiens bien cette leçon, car ce sera la dernière de toute ta vie !

Un rire diabolique retentit dans la pièce tandis que la silhouette s'éloignait. Wilma essaya désespérément de relever la tête mais au moment où elle parvenait à s'appuyer sur un coude, elle entendit la porte en métal glisser bruyamment sur son rail avant de claquer. La pièce se retrouva plongée dans l'obscurité.

— Si... froid..., murmura Wilma en rampant sur le sol.

Elle leva une main vers la pile de plateaux recouverts de poissons à sa droite. Si elle arrivait à se relever, se dit-elle, elle pourrait rejoindre la porte. Il fallait absolument qu'elle quitte ce froid mordant. Sa respiration se faisait déjà plus courte : elle haletait par à-coups, expirant de petits nuages synonymes de désespoir. À chaque seconde qui passait, elle sentait son corps se raidir. Elle était en train de geler vivante ! Si elle n'atteignait pas la porte, elle allait mourir !

Enfin, elle posa une main sur le plateau au-dessus de sa tête. Elle se hissa debout avec un cri. Maintenant, il ne lui restait plus qu'à marcher jusqu'à la porte… mais ses jambes étaient encore trop faibles. Malgré tous ses efforts, elle ne pouvait plus bouger d'un pouce. C'était la fin. Wilma vivait ses derniers instants.

Des pensées chaotiques traversèrent son esprit. Pétrin… la première fois qu'elle avait vu Théodore P. Lebon… l'étiquette à bagage qu'elle avait nouée à son poignet à peine quelques heures auparavant… Tout cela semblait si loin, désormais. Wilma s'effondra par terre. La fillette se raccrocha à ses souvenirs et finit par sombrer dans un profond sommeil de glace d'où elle avait peu de chance de sortir.

Si vous devez aller chercher un mouchoir, c'est le moment.

30. Lecitron voit double

héodore et l'inspecteur Lecitron couraient le long des quais, Pétrin sur leurs talons.

— Nous n'en sommes plus très loin, haleta le grand détective. L'ancienne chambre froide est à quelques mètres d'ici.

— Là où on congelait tout le poisson de l'île ? demanda l'inspecteur Lecitron. Avant qu'ils n'ouvrent la nouvelle, dans le Haut de l'île ?

— Celle-là même, inspecteur ! cria Théodore par-dessus son épaule. J'espère que nous n'arriverons pas trop tard !

L'ancienne chambre froide de l'île était à peine visible dans l'épais brouillard venu de la mer. Alors qu'ils se ruaient vers sa grande porte métallique, une cloche sur une bouée résonna au loin comme un terrible glas.

Théodore et l'inspecteur saisirent la grosse poignée et firent glisser avec peine la lourde porte sur ses rails. Une bouffée d'air glacial leur éclata au visage.

— De la lumière ! cria Théodore. Vite !

Les mains tremblantes, l'inspecteur Lecitron attrapa une petite lanterne sur un crochet au mur, à l'extérieur. Il la tint devant lui et entra dans la tombe de glace, fouillant désespérément la pièce du regard.

— Là-bas ! hurla Théodore.

Le faible faisceau venait en effet de s'arrêter sur une petite silhouette roulée en boule sur le sol. Théodore se précipita en avant, retira son pardessus et, après avoir pris Wilma dans ses bras, il l'enveloppa du mieux qu'il put. Il se dirigea vers la sortie.

— Enlevez votre manteau, inspecteur ! Nous devons à tout prix la réchauffer !

Théodore étendit Wilma sur le sol et la recouvrit du manteau de son ami. La fillette était très pâle, ses lèvres avaient bleui et des gouttelettes de glace perlaient dans ses cheveux et ses sourcils.

— Elle ne bouge plus, Lebon, murmura l'inspecteur Lecitron. J'espère qu'il n'est pas trop tard...

Concentré, Théodore frictionnait les bras et les jambes de la petite fille aussi vite que possible.

— Il faut faire repartir la circulation sanguine, expliqua-t-il. Allez, Wilma ! Ne me laisse pas tomber !

Pétrin se pencha et commença à lécher délicatement le visage de la fillette. Toujours rien.

— Si seulement nous étions arrivés plus tôt, murmura doucement Théodore.

À ce moment-là, notre courageuse héroïne laissa échapper un gémissement hébété. Pétrin s'interrompit et aboya.

— Je savais bien que tu ne nous laisserais pas tomber, dit l'inspecteur d'une voix étranglée.

Wilma ouvrit lentement les yeux.

— L'assassin! articula-t-elle avec difficulté. Le conduit… c'est…

— Ne t'inquiète pas pour ça, Wilma, dit Théodore en s'assurant que la fillette était bien enveloppée dans les deux pardessus. Le capitaine Brock et ses hommes sont postés non loin d'ici. Je suis certain que la personne qui est sortie de cette chambre froide est déjà en état d'arrestation.

— D'ailleurs, les voilà, Lebon! annonça l'inspecteur Lecitron, qui se releva en voyant le capitaine Brock émerger du brouillard. Et il tient notre bandit. Je le savais! Miss Mascara! J'imagine qu'elle voulait se procurer la pierre de Kastoran pour s'en faire un bibelot quelconque! Vous devriez avoir honte, mademoiselle!

Miss Mascara jeta un regard furieux à l'inspecteur.

— Je ne vois pas de quoi vous voulez parler, fulmina-t-elle. D'ailleurs, j'aimerais bien savoir pourquoi j'ai été arrêtée! C'est un scandale!

— Mais quel culot ! explosa l'inspecteur Lecitron. Vous êtes vraiment un scorpion de la pire espèce. Tuer tous ces gens, pour ensuite le nier devant les faits ! Vous êtes une sacrée crapule sans scrupules !

— Pas si vite, inspecteur, intervint Théodore en posant une main apaisante sur le dos de son ami. Capitaine Brock, avez-vous interpellé la personne qui est sortie de cette chambre froide ?

— Affirmatif, monsieur Lebon, répondit le capitaine. Mme Frisquet m'a bien transmis votre message. Je me doutais qu'il vaudrait mieux surveiller un peu les environs, alors quand j'ai vu un inconnu s'éloigner en courant, j'ai envoyé deux hommes à sa poursuite, ils nous le ramèneront dans un instant. D'ailleurs, je crois que je les entends arriver.

Tout le monde se retourna pour distinguer ce qui se passait dans les ténèbres. Les silhouettes de deux soldats émergèrent des ombres troubles et, entre eux, une femme voûtée sur une canne.

— Redressez cette personne, s'il vous plaît, demanda Théodore, un doigt sur sa loupe. Et placez-la à la lumière.

— Mais qu'est-ce que… ? s'écria l'inspecteur Lecitron, en se frottant les yeux. C'est impossible, une autre miss Mascara ! Elles sont deux !

— Non, inspecteur, dit calmement Théodore. Cette personne s'est simplement habillée de la même manière afin de se faire passer pour elle. Je suis navré d'avoir dû vous faire arrêter, miss Mascara, mais je peux vous assurer que c'était uniquement pour votre sécurité. Capitaine Brock, si vous le voulez bien, démasquons ensemble ce scélérat une fois pour toutes.

Le capitaine Brock s'avança et empoigna la silhouette voûtée pour la placer juste sous le lampadaire du quai. Théodore fit à son tour un pas en avant et mit une main sur la sombre chevelure du bandit.

— La convoitise, déclara-t-il au moment où il arrachait la perruque d'un geste théâtral, peut en effet faire tourner la tête aux meilleurs d'entre nous. Ce n'est certainement pas vous qui direz le contraire, n'est-ce pas, monsieur le conservateur ?

— Non ! s'écria l'inspecteur, sous le choc. Ça alors !

— Avez-vous pu intercepter à la gare l'autre personne dont je vous ai parlé, capitaine Brock ? ajouta Théodore.

— Affirmatif, acquiesça le capitaine. Par ici, madame Grimabulle.

Une femme aux cheveux blancs s'avança dans la lumière. Elle était âgée mais alerte, et une certaine autorité émanait de sa personne. Théodore lui serra la main.

— Madame Grimabulle, merci d'être venue. J'ai besoin de votre aide. Cet homme, ajouta-t-il en désignant le conservateur, le reconnaissez-vous ?

— Bien sûr, dit la vieille femme. Il travaillait dans mon cirque il y a plus de vingt ans, c'était notre homme à tout faire. Et puis un jour, il est parti faire fortune et n'est

jamais revenu. Il a abandonné sa pauvre femme et lui a brisé le cœur, ce gredin de Fergus Ronchard.

— Saperlipopette ! s'exclama l'inspecteur, dont le cerveau tournait à toute vitesse.

— Merci, dit le détective en s'inclinant poliment. C'est bien ce que je pensais. J'avais retrouvé son nom dans le carnet de commandes de Visser, mais j'avais besoin de la confirmation que le conservateur et Fergus Ronchard étaient bien une seule et même personne.

Le conservateur leva lentement la tête vers la lumière et cracha :

— Je n'aurai commis qu'une seule erreur, Lebon : vous sous-estimer, vous et cette insupportable gamine !

L'inspecteur Lecitron fit un clin d'œil à Wilma.

— Tu entends ça ? lui chuchota-t-il. On parle de toi !

Toujours frissonnante, Wilma parvint à lui rendre un faible sourire. Pétrin la gratifia d'une nouvelle léchouille.

— Vous aviez tellement peur que quelqu'un ne découvre votre véritable identité que, lorsque vous avez compris que Wilma travaillait pour Mme Ronchard — quand vous avez vu cette photo sur laquelle vous figuriez —, votre formidable plan a commencé à tomber en morceaux, continua Théodore, bien droit, les pouces calés dans les poches de son gilet. Et si vous ne vous en étiez pas soucié — si vous n'aviez pas essayé de vous débarrasser de Wilma —, vous auriez peut-être eu une petite chance de vous en tirer. Mais comme Wilma et sa maîtresse semblaient n'avoir aucun lien avec le reste de l'affaire, cela m'a donné un précieux indice. D'ailleurs, ce n'est pas le seul indice que vous m'aurez donné malgré vous. Depuis le départ, vous vous êtes démené pour entraver mon enquête : vous avez envoyé voler dans les airs l'éclat de sucre, vous avez laissé la fléchette sur une croustille sucrée pour que Pétrin l'avale…

— Un terrible gâchis, d'ailleurs, marmonna l'inspecteur en secouant la tête.

— Depuis le début, reprit Théodore, vous n'avez cessé de détruire des preuves et de me mettre des bâtons dans les roues. Car c'est vous qui avez commandé la fausse pierre de Kastoran à Visser Haanstra. C'est vous qui avez assassiné Alan Kastoran et sa tante afin de vous faire passer pour lui et de vous servir de son passe. Vous avez ensuite échangé l'imitation contre la vraie à l'aide d'un simple tour de passe-passe que votre femme, Barbara Ronchard, vous avait appris il y a des années. Le faux diamant vous a donné le temps nécessaire pour revenir au musée et découvrir, devant témoins, que la pierre avait disparu. C'est vous qui avez tué le faussaire qui vous avait rendu service : il était le seul à connaître la vérité, alors vous l'avez éliminé avec une fléchette remplie de poison – un poison provenant des feuilles du cynta, dans l'arboretum. Vous avez prétendu n'avoir jamais entendu parler de cet arbre, et pourtant, le jour où il a été planté, vous étiez là en tant qu'invité d'honneur. Vous êtes même apparu dans le journal, sur une photographie prise lors de la cérémonie. Vous aviez sans nul doute un accès privilégié à l'arbre. Alors, lorsque vous avez déclaré ignorer tout du cynta, j'ai su que vous aviez trempé dans cette affaire. Mais votre plus grande erreur a été d'assassiner Mme Ronchard. Vous étiez de plus en plus maladroit, et en laissant le corps d'une femme réputée pour son avarice devant un grand feu, j'ai enfin compris comment vous vous y preniez pour tuer vos victimes.

— Ah, parfait, commenta l'inspecteur Lecitron. Moi, c'est surtout ça qui m'intéresse.

— Une méthode vraiment monstrueuse, reprit Théodore, sa loupe à la main. Vous commenciez par les tromper : vous les approchiez sous prétexte de leur offrir un brin de lavande. Mais ce brin avait été trempé dans du chloroforme, ce qui les endormait immédiatement. Vous aviez alors le temps de les amener jusqu'ici, dans cette chambre froide abandonnée. Vous les laissiez mourir de froid, puis vous les rameniez chez eux afin que leur corps se réchauffe sans éveiller les soupçons. C'est pour cela qu'il n'y avait aucune trace de coups, et c'est pour cela que leur cœur était gelé !

— Ils n'avaient pas eu le temps de dégeler complètement ! s'écria Wilma, qui reprenait peu à peu des forces. Et c'est aussi pour ça qu'on a retrouvé une écaille de poisson !

— Diaboliquement astucieux, commenta l'inspecteur.

— Mais cela ne lui suffisait pas, inspecteur Lecitron. Car en plus de tout cela, monsieur le conservateur, vous avez cherché à faire porter le chapeau à votre assistante. Vous avez pris son apparence, vous espériez peut-être même que le faux ongle trouvé sur Mme Ronchard ou encore sa passion pour les arbres nous mèneraient directement à elle. Mais tout le monde peut voir que miss Mascara a de fort jolis ongles – et que ce sont des vrais.

— Quel infâme personnage, gronda l'inspecteur. Accuser une femme ! Quel culot !

— Je ne sais pas quoi dire, intervint doucement miss Mascara, visiblement ébranlée. À part que…, je démissionne !

— Démission acceptée ! cracha le conservateur. De toute façon, vous n'étiez bonne qu'à minauder devant le premier venu qui passait au bureau ! Mais jamais vous n'avez fait attention à moi ! Pas une seule fois !

— Ah, les ravages de l'amour…, expliqua l'inspecteur avec un petit soupir.

— L'amour ? se moqua le conservateur. Oh non, j'ai compris il y a bien longtemps que l'amour ne menait nulle part. Ma femme était pareille : elle passait son temps à jeter des regards charmeurs à tout le monde sous ses grands cils. Nous avions beau être mariés, elle ne me regardait jamais, moi, le pauvre homme à tout faire. Je suis donc parti tenter ma chance ailleurs, faire fortune et je me suis retrouvé au musée, entouré par toutes ces belles choses. Et pendant quelques années, cela m'a suffi. La nuit, une fois les portes fermées, j'arrivais presque à croire que tout cela m'appartenait. Mais c'était faux, bien sûr. C'est alors qu'est apparue la pierre de Kastoran. Je l'ai vue en photo avant qu'elle n'arrive. Elle était si énorme, si belle, si inestimable... Il fallait absolument que je la possède, et je la voulais pour moi tout seul. Je voulais que tout Cooper comprenne ce que c'était que de voir une si belle chose puis de la perdre... à jamais... !

Sa voix s'éteignit sur ces mots et il laissa son visage retomber dans l'ombre.

— Mais où est la pierre de Kastoran, maintenant ? demanda Wilma en essayant de s'asseoir. C'est quand même par elle que tout a commencé.

— Ici, intervint une voix derrière eux.

C'était Barbu d'Anvers, flanqué de Tully et de Janty.

— Et par le décret international « Prem's » concernant les objets trouvés, rien ne m'oblige à la rendre.

31. Encore une victoire pour Théodore P. Lebon - et pour Wilma Tenderfoot

— On ne va pas le laisser s'en tirer comme ça, quand même ! s'écria Wilma, qui dut s'appuyer sur Pétrin pour ne pas flancher.

— Hélas, j'ai bien peur qu'il n'ait raison, répondit Théodore. Le décret « Prem's » stipule en effet que quiconque met la main sur un objet disparu a le droit de le conserver.

— En tout cas, intervint Barbu, triomphant, je dois avouer que toute cette conversation a été très distrayante et… très enrichissante.

— Alors c'est lui, l'homme qui a tué mon père ? cracha Janty en foudroyant le conservateur du regard.

— C'est lui, en effet, répondit Théodore très sérieusement. Et je peux te promettre qu'il sera conduit devant la justice.

— Je vais faire justice moi-même ! cria Janty en sortant de sa poche un petit pistolet qu'il pointa sur l'assassin.

À la vue de l'arme, celui-ci poussa un cri et se recroquevilla de terreur. Wilma essaya de se relever.

— Non Janty ! cria-t-elle. Un meurtre ne peut pas en réparer un autre !

Janty regarda la fillette. Quelque chose sembla vaciller en lui et il baissa légèrement son arme – Théodore en profita alors pour se jeter sur le garçon et le désarmer.

— Il vaut mieux éviter. Tu pourrais le regretter un jour, dit-il en ramassant le pistolet.

Barbu se tourna vers son jeune protégé pour lui jeter un regard furieux.

— Il ne faut jamais essayer de tirer sur quelqu'un devant des officiers de police ! Franchement, tout le monde sait cela. Et puis, où est-ce que tu as trouvé ce truc ?

— Je l'ai fabriqué, grommela Janty, qui s'était mis à donner des coups de pied furieux dans le sol.

— Ah oui ? répondit Barbu, un sourcil levé. Impressionnant...

— Ce n'est pas en me tuant moi que tu te vengerais, tu sais ! hurla le conservateur. Tu ferais mieux de demander à ton nouveau maître ce qu'il faisait à ton père avant que je n'abrège ses souffrances !

— Ha ha ha ! s'esclaffa Barbu, mal à l'aise. Ne l'écoute pas, Janty. Il dit n'importe quoi, c'est ce qu'ils font tous quand ils se font attraper. L'énergie du désespoir. Ne le regarde même pas, c'est trop triste à voir.

— Qu'est-ce que vous voulez dire ? demanda l'enfant au conservateur.

— Tu n'as qu'à lui demander pourquoi ton père a été torturé avant sa mort ! Ce n'était pas moi, ça, c'était lui ! Lui et son idiot d'acolyte !

Janty dévisagea son maître, le visage pétri de colère.

— C'est vrai ? Vous avez fait du mal à mon père ?

— Oui c'est vrai ! cria Wilma. Je te le jure, il est affreux ! Il ne faut pas que tu restes avec lui !

— Mais ça ne t'arrive jamais de la fermer, toi ? maugréa Barbu en levant les yeux au ciel. D'accord, c'est vrai. Techniquement, il est possible qu'on ait torturé ton père. Mais pas bien longtemps. On ne va quand même pas s'embarrasser de détails idiots ! Je suis méchant, c'est mon travail ! Et puis après tout, qu'est-ce que ça change ? Qu'est-ce que tu vas faire ? Me mettre au coin ? Me faire une brûlure indienne ? Tout ce que j'ai fait, c'est le secouer un peu. Il était faussaire, et ça fait partie des risques du métier ! Bon !

Janty serra les lèvres.

— D'accord. Si ce n'est pas vous qui l'avez tué, alors…

— Exactement ! s'écria Barbu en levant les bras. On peut passer à autre chose ? Merci ! Au travail, maintenant. J'ai la pierre de Kastoran et je vais m'en servir pour acheter toute l'île. Et mon premier décret en tant que chef de partout sera de vous virer, Lebon.

— Cette pierre n'a aucune valeur, Barbu, dit Théodore avant de rendre le pistolet artisanal de Janty au capitaine Brock.

— Ne dites pas de bêtises ! s'esclaffa Barbu en sortant le diamant de sa poche pour le faire admirer à tous. Sa valeur est pratiquement inestimable.

— Non, cette pierre ne vaut rien, répéta Théodore. Car ce n'est pas la vraie pierre de Kastoran. Pétrin, va chercher !

Pétrin obéit sur-le-champ et, avant que Barbu n'ait pu réagir, il prit le diamant dans sa gueule et le rapporta au détective. Il le laissa tomber dans sa paume et reprit sa place près de Wilma. Sa jeune amie en resta bouche bée.

— Je pense que sur demande expresse du conservateur, Visser a fabriqué deux diamants, reprit Théodore. Un qui serait placé dans le coffret, et un autre qui servirait de leurre au cas où l'enquête progresserait trop vite. Le conservateur avait laissé le second à Visser, et son prochain geste aurait sûrement été de le cacher dans les affaires de miss Mascara pour qu'on la surprenne avec ! Barbu, vous avez dû trouver le leurre avant que le conservateur n'ait eu le temps d'aller le chercher. Et pour prouver ce que j'avance, il me suffit de mettre la pierre dans cette petite flaque d'eau…

Tout le monde retint son souffle. Le faux diamant en sucre grésilla et disparut.

— … et elle fond. Tout simplement.

— Mais alors, où est passé le vrai diamant ? hurla Barbu en donnant une grande claque sur l'oreille de Tully.

— Je ne vous le dirai jamais ! geignit le conservateur, les deux mains serrées autour du pommeau de sa canne.

— C'est inutile, reprit Théodore, qui s'empara à son tour de la canne. La vraie pierre de Kastoran était sous notre nez depuis le début. Elle est là, sertie au sommet de la canne du conservateur !

— Oh ! cria Barbu, furieux. Mais c'est complètement déloyal ! Dites donc, hurla-t-il au conservateur, je veux bien que vous soyez méchant, mais vous pourriez au moins être beau joueur !

— Eh bien, c'est tout simplement renversant, dit l'inspecteur Lecitron en se grattant le crâne. Vous nous avez encore tous surpassés, Lebon !

— On peut dire cela, oui, répondit Théodore avec un petit air satisfait. Il m'a quand même fallu du temps pour déchiffrer ce fameux code. Mais dès que j'ai réussi, tout est devenu clair. Et remercions aussi Wilma de nous avoir apporté le carnet de commandes. Il faut rendre à César, etc.

— Bravo ! s'exclama l'inspecteur. Et maintenant (il prit un air solennel), il me reste à régler les procédures officielles. Capitaine Brock, vous allez conduire le conservateur en prison. Se faire passer pour une innocente demoiselle, voler des diamants et tuer des tantines. Vous, vous n'êtes pas près de revoir la lumière du jour !

— Je n'ai pas dit mon dernier mot, inspecteur ! cria le

conservateur tandis qu'on l'emmenait. Un jour, je posséderai toutes les richesses de l'île ! C'est moi le plus grand esprit criminel de Cooper !

— Non ! aboya Barbu, bouillonnant de rage. C'est MOI ! Planquer un bijou au bout d'un bâton ! C'est à la portée de n'importe quel vieux débris ! Vous pouvez vous estimer heureux d'aller en prison parce que, si je vous avais retrouvé en premier, je vous garantis que les choses ne se seraient pas passées comme ça ! Quant à vous, Théodore P. Lebon, vous avez peut-être gagné cette fois-ci, mais je reviendrai ! Je vous le garantis ! Tully, Janty !

Sur ces mots, Barbu rejeta sa cape en arrière d'un geste théâtral et s'éloigna dans la brume, escorté par ses deux compagnons.

Wilma suivit tristement Janty du regard jusqu'à ce qu'il eût disparu dans la nuit.

— Je suis sûre qu'au fond, ce garçon est vraiment bon, dit-elle en secouant doucement la tête. Mais il faut absolument qu'il arrête de fréquenter cet horrible Barbu d'Anvers. D'ailleurs, en parlant de lui, on ne devrait pas essayer de l'arrêter, là ? Il est tellement épouvantable !

— Le moment d'affronter Barbu d'Anvers viendra plus tôt que tu ne le penses, Wilma, répondit Théodore avant de prendre la fillette dans ses bras. Bien, inspecteur, si vous voulez bien raccompagner miss Mascara chez elle. Mademoiselle (il se tourna vers la secrétaire), je suis navré que vous ayez dû traverser cette épreuve.

— Ah oui, marmonna l'inspecteur Lecitron, confus. Et désolé de vous avoir traitée de crapule.

— Ce n'est rien, répondit miss Mascara en s'emmitouflant dans son châle. Je comprends ce qui a pu vous faire penser cela, surtout après l'avoir vu déguisé. Même si j'aime à penser que j'ai de bien plus jolies chevilles…

— Très bien alors, dit Théodore. Affaire classée. Nous devrions probablement ramener cette jeune fille à la Claire Chaumière pour lui faire prendre un bain chaud.

— Avec quelques croustilles sucrées, Lebon ? s'enquit l'inspecteur Lecitron.

— Brillante idée ! Nous pourrons peut-être même faire une petite partie de Lantha !

— Eh bien, préparez-vous à perdre, ajouta Wilma. Parce que je suis très, TRÈS déterminée.

Pétrin aboya. Lui aussi savait bien que sa jeune amie était la plus déterminée de tous.

Alors comme ça, c'était le conservateur le coupable ! Que cela vous serve de leçon. Il ne faut jamais faire confiance à un gros monsieur avec une canne.

32. Décidément, la vie est belle

ilma tenait le carnet de commandes de Visser ouvert devant elle.

— Bon, reprit-elle patiemment. Je vais te l'expliquer comme M. Lebon me l'a expliqué. Mais si cette fois-ci, tu ne comprends toujours pas, Pétrin, je crois qu'il faudra abandonner. Alors, dans la première image, on voit deux sculptures de castor. Deux castors… en… pierre. PIERRE, DEUX, KASTORAN : la pierre de Kastoran, tu as compris ? Ensuite, on a le nom du client. On voit d'abord un fer à cheval. Ça donne FER. Ensuite, on voit un petit morceau d'ail. C'est une GOUSSE. Ensuite, il y a un cercle, c'est facile, c'est ROND. Et enfin, on voit une petite charrette tirée par des chevaux, c'est un CHAR. Ça nous donne FER-GOUSSE-ROND-CHAR. Ensuite, il y a les nombres. Si tu prends l'alphabet et que tu donnes une valeur numérique à chaque lettre, en partant de 1 pour Z et en remontant jusqu'à 26 pour A, alors cela donne… Tu as deviné, Pétrin ? FERGUS

RONCHARD. Et c'est comme ça qu'on a su que c'était lui. C'était tout simple, en fait.

Il fallut deux jours à Wilma pour se remettre de ses épreuves, mais malgré sa faiblesse et son état de fatigue, elle n'avait jamais été aussi heureuse de toute sa vie. Bordée dans un énorme lit rose, calée entre de gros oreillers en plumes, Wilma était choyée. Mme Frisquet était aux petits soins pour elle et lui apportait ses repas sur un plateau. Le détective Lebon passait tous les jours à l'heure des croustilles sucrées pour prendre des nouvelles de sa jeune amie, et Pétrin, épuisé lui aussi par tous leurs efforts, ne quittait pas son chevet. Paix et repos : tout ce dont nos deux amis avaient besoin. Comme tous les matins, en voyant les rayons du soleil entrer par la fenêtre de sa chambre, Wilma se dit qu'elle avait drôlement de la chance. Tout allait pour le mieux.

— Toc toc ! s'exclama une voix familière juste avant que l'inspecteur Lecitron ne passe la tête par la porte. Je me suis dit qu'il était temps que je rende visite à la patiente ! Comment vas-tu ?

— Bonjour, inspecteur ! s'écria Wilma. Ça va beaucoup mieux, merci. Je vais peut-être même pouvoir me lever aujourd'hui.

— Formidable, répondit l'inspecteur en s'asseyant au bord du lit. Tiens, je t'ai apporté quelque chose. Je me suis dit que ça t'intéresserait. Tu pourras peut-être même le mettre sur ton Porte-Indices.

— Sur mon Porte-Indices ? répéta Wilma, tout excitée. Qu'est-ce que c'est ?

— Regarde donc toi-même, dit l'inspecteur avec un clin d'œil.

Il tira de la poche de son pardessus le journal de la mi-matinée et en détacha soigneusement un article qu'il tendit à la fillette.

— Tiens, lis donc ça.

Wilma attrapa la coupure et lut à voix haute :

— « ÉNIGME DES CŒURS GELÉS : TOUTE L'ENQUÊTE » ? Mais c'est l'affaire sur laquelle j'ai travaillé ! s'écria-t-elle, les yeux écarquillés. C'est dans le journal ! Comme toutes les autres enquêtes de mon Porte-Indices !

— C'est exact ! s'esclaffa l'inspecteur Lecitron (il tapota l'article du doigt). Et regarde là ! C'est une photo de Pétrin et toi !

— Mais, mais, bégaya-t-elle incrédule, il n'y a que les grands détectives comme M. Lebon qui ont leur photo dans le journal !

— Eh bien, dans ce cas, insista l'inspecteur, ça doit vouloir dire que tu es un grand détective !

— Ne dites pas n'importe quoi, répliqua Wilma avec une petite tape sur le bras de l'inspecteur. Pas encore en tout cas ! Mais peut-être qu'un jour, je serai un grand détective, oui. Maintenant que j'ai eu ma photo dans le journal, et tout et tout.

— Eh oui, peut-être un jour, opina l'inspecteur. Ooooh, ce sont des croustilles sucrées, sur l'assiette, là-bas ? Ça ne t'embête pas si j'en prends une, hein ?

Wilma gardait les yeux fixés sur sa coupure de journal, tout sourire. Jamais elle ne s'était sentie aussi fière de toute sa vie. Elle fit un petit trou dans le coin en haut à droite et glissa l'article sur son Porte-Indices.

— Tu te rends compte, Pétrin, chuchota-t-elle à son chien en lui faisant des grattouilles derrière les oreilles, toi et moi, sur le Porte-Indices ! Décidément, la vie est belle.

Vous vous dites sûrement que c'est le bon endroit pour finir l'histoire. Après tout, l'affaire a été résolue, le méchant a été attrapé et Wilma n'est pas morte. En fait, on peut affirmer sans risque que tout est bien qui finit bien. Dans d'autres circonstances, ce serait le moment idéal pour écrire « Fin », et tout le monde retournerait tranquillement vaquer à ses occupations. Sauf qu'il reste un détail essentiel à régler : Mme Skratch. Au cas où vous l'auriez oublié, à peine quelques jours auparavant, Wilma s'était échappée de l'Institution pour Petits Malchanceux. Et c'était encore plus grave que de transgresser tous les articles du règlement intérieur les uns après les autres. Tandis que Wilma profitait de sa petite minute de gloire, Mme Skratch s'arrêtait justement devant la Claire Chaumière à bord de sa calèche noire, pour la seconde et dernière fois.

Ce fut Mme Frisquet qui lui ouvrit la porte – après tout, c'était son travail. Elle essorait un torchon et, sous ses deux bonnets à pompon, elle jeta un regard peu avenant à la femme austère qui se tenait sur le porche.

— Je peux vous aider ? Parce que, niveau éponge et chiffon, on a tout ce qu'il nous faut, alors si vous venez pour vendre, je ne suis pas intéressée.

Mme Skratch fut un instant estomaquée par le culot de cette gouvernante toute de laine vêtue.

— Comment osez-vous ! Je suis la directrice de

l'Institution pour Petits Malchanceux, et vous le savez parfaitement ! Si je suis là, c'est que j'ai lu dans les journaux que Wilma Tenderfoot était revenue ici. Or, cette jeune fille m'appartient et je suis venue la chercher. J'aurais dû me douter que je la retrouverais ici quand cet insupportable détective est venu à sa recherche le jour où elle s'est échappée, ajouta-t-elle d'un ton pincé. Dites-lui de préparer ses affaires sur-le-champ.

Mme Frisquet n'était pas réputée pour ses bonnes manières. Elle fit claquer ses lèvres et réfléchit quelques instants. Elle aurait bien voulu dire ses quatre vérités à la déplaisante invitée qui se tenait sur le porche de la Claire Chaumière, mais malheureusement, tout le monde savait que ce jour viendrait. C'était inévitable. Sans contrat d'apprentissage et sans travail, Wilma devait repartir en Bas de l'île, c'était la règle. Et Wilma n'avait vraiment, vraiment pas de contrat d'apprentissage. D'ailleurs, le détective Lebon n'était même pas là pour lui dire au revoir.

Wilma ne possédait presque rien. Après s'être habillée, elle fourra ses quelques affaires dans la poche de son tablier et se prépara à retrouver la triste vie qu'elle avait quittée. Elle rejoignit Mme Skratch et sa calèche devant le portail, puis se retourna une dernière fois, dans l'espoir que quelqu'un en particulier arriverait à temps pour la sauver – mais personne ne vint. Alors, elle s'accroupit et serra Pétrin contre son cœur longtemps, très longtemps.

— Je t'aime, Pétrin, murmura-t-elle.

À ce moment-là, l'inspecteur Lecitron, qui n'avait pas arrêté d'avaler sa salive depuis qu'il avait aperçu Mme Skratch, dut leur tourner le dos et faire semblant d'avoir reçu une énorme quantité de poussière dans l'œil. Quant à Pétrin, il ne quitta pas du regard son amie, puis céda à son instinct de chien et hurla à la mort.

La petite fille se hissa dans la voiture. Mme Frisquet se rapprocha et lui glissa dans la main une petite boîte.

— Juste quelques croustilles sucrées, dit-elle en hochant doucement la tête, je sais que tu aimes bien ça, du coup…

Mais même Mme Frisquet ne parvint pas à finir sa phrase, et elle aussi dut baisser la tête pour penser très fort à quelque chose qui ne risquait pas de lui briser le cœur.

— Merci, murmura Wilma.

Avec un sourire peiné, elle jeta un dernier regard à la rue déserte puis se tourna vers l'inspecteur. Elle posa une main sur l'épaule de Lecitron, et ce dernier leva vers elle ses yeux embués de larmes.

— Inspecteur, je tiens à vous dire que vous êtes un des hommes les plus gentils et les plus courageux que je connaisse. Je suis vraiment contente de vous avoir rencontré.

— Moi aussi, je suis vraiment content de t'avoir rencontrée, répondit l'inspecteur, la lèvre tremblante. Si ça ne te dérange pas, je crois que je ne vais pas avaler ma salive, cette fois.

Et sur ces mots, il tira un mouchoir de sa poche et laissa échapper un sanglot déchirant. Mme Skratch reprit sa place.

— Cocher ! aboya-t-elle. Ramenez-nous à l'orphelinat ! Et plus vite que ça !

Wilma fit volte-face et agrippa le bras de la directrice.

— S'il vous plaît, est-ce qu'on peut attendre encore un tout petit peu ? Je n'ai même pas pu dire au revoir au détective Lebon !

— C'est vrai, ça, intervint l'inspecteur en s'essuyant les yeux. Où est-il encore passé ?

— Me voilà, inspecteur ! s'écria soudain Théodore qui remontait le chemin au pas de course. Et j'ai en prime un papier que je tiens à montrer à Mme Skratch !

— Oh ! quoi encore ? râla l'austère mégère. Je n'ai pas de temps à perdre avec vos idioties !

— Cela n'a rien d'une idiotie, madame Skratch, répondit Théodore avec un sourire en coin. Au contraire, c'est très sérieux.

Il tira de la poche de son pardessus un document officiel.

— Lisez plutôt, madame la directrice ! Cela change tout, non ?

Mme Skratch lui arracha le papier des mains, et grommela que tout cela lui faisait perdre un temps précieux, et qu'on n'avait pas idée. Elle se mit à lire et, après quelques instants, elle s'emporta :

— Mais c'est impossible ! Vous avez perdu la raison ?

— Pas le moins du monde, chère madame, répondit Théodore en bourrant sa pipe.

— Alors, qu'est-ce que ça dit ? gémit l'inspecteur. C'est insoutenable, ce suspense !

— C'est un contrat d'apprentissage, déclara Mme Skratch, abasourdie. Le détective Lebon a pris Wilma comme apprentie.

Wilma en resta bouche bée, les yeux grands comme des soucoupes. Elle se mit à secouer la tête.

— Mais, mais… bégaya-t-elle, incrédule, c'est pas vrai… C'est trop beau pour être vrai… C'est vraiment vrai ? Ce n'est pas un rêve ? Je peux rester ? Et faire des déductions tous les jours ?

— Eh oui, c'est vrai, Wilma ! s'esclaffa Théodore en attrapant la fillette pour la faire descendre. Tu vas rester vivre ici, à la Claire Chaumière, avec Mme Frisquet et moi.

— C'est vraiment… formidable…, sanglota l'inspecteur, bouleversé.

— Je n'arrive pas à y croire ! s'exclama Wilma, entourée de tous ses amis. Je n'ai jamais eu de maison et je n'ai jamais eu de famille. Et maintenant, c'est comme si j'avais les deux.

Mme Skratch, qui avait bien du mal à contenir sa colère, bomba le torse.

— Ce n'est pas tout à fait vrai, persifla-t-elle. Wilma a toujours un parent en vie.

Ces mots eurent l'effet d'une bombe. Wilma se retourna, stupéfaite. Elle farfouilla dans la poche de son tablier et en tira l'étiquette à bagage.

— *Y sont partis*, murmura-t-elle. Mais qui est-ce ?

Elle agrippa Mme Skratch par le bras.

— Et où est-ce que je peux le retrouver ?

— Comment veux-tu que je le sache ? aboya Mme Skratch qui se dégagea de l'étreinte de la fillette. Tout ce que je sais, c'est qu'on m'a donné de l'argent pour m'occuper de toi. Mais ça m'est bien égal de savoir où se trouve ta famille. Pour ça, tu devras te débrouiller seule. Cocher ! À l'orphelinat !

La calèche noire de Mme Skratch s'éloigna bruyamment, laissant Wilma, Pétrin, le détective Théodore P. Lebon, l'inspecteur Lecitron et Mme Frisquet en état de choc. Quelque part, Wilma avait encore une famille. La nouvelle les avait tellement pris de court qu'il fallut un moment avant que quelqu'un ne se décide à ouvrir la bouche.

— Bien ! s'exclama finalement Mme Frisquet en retroussant les manches de son gilet en laine. Pour une surprise, c'est une surprise ! Et pour s'en remettre, je ne connais qu'un seul remède : une bonne tasse de thé à la menthe et une assiette de croustilles sucrées !

— Une assiette ? Plutôt deux ou trois, madame Frisquet,

avança timidement l'inspecteur. D'ailleurs, si ça ne vous dérange pas, je vais vous aider à transporter tout ça.

Sous ses bonnets à pompon, Mme Frisquet fronça le nez.

— Pourquoi pas, dit-elle finalement en haussant les épaules avant de s'éloigner.

L'inspecteur Lecitron sourit jusqu'aux oreilles. Pas de doute, c'était le plus beau jour de sa vie !

Wilma se tourna vers Théodore.

— Mais comment vais-je faire pour retrouver cette personne, monsieur Lebon ? Je ne sais même pas par où commencer.

Théodore lui posa la main sur l'épaule et tira sur sa pipe.

— Ça ne va pas être facile, mais que fait un bon détective au début d'une enquête ?

— Il contemple les indices et fait des déductions, répondit Wilma, les yeux brillants.

— Précisément.

Théodore et sa jeune apprentie remontèrent ensemble le chemin de la Claire Chaumière.

— Et tu connais quelqu'un de mieux placé que nous pour cela ? conclut-il.

— Rien ni personne n'arrête Wilma Tenderfoot, affirma la fillette, déterminée. En fait, monsieur Lebon, sur cette étiquette à bagage…

Voilà, cette fois c'est la fin. Pour le moment.

À suivre…

Recette

Toi aussi, dévore les biscuits préférés
des habitants de Cooper !

Croustilles sucrées

INGRÉDIENTS (pour 30 biscuits)

100 g de beurre
100 g de sucre en poudre
1 zeste de citron (lave le citron, puis utilise une petite
râpe pour enlever le jaune de la peau)
1 œuf battu
100 g de polenta (semoule de maïs)
150 g de farine
1 pincée de sel
2 grandes plaques de cuisson

PRÉPARATION

1. Préchauffe le four à 180 °C, thermostat 6.

2. Dans un grand saladier, mélange le beurre, le sucre et le zeste de citron à l'aide d'une cuillère en bois ou d'un batteur électrique.

3. Ajoute l'œuf et le sel, et mélange jusqu'à obtention d'une pâte épaisse.

4. Ajoute la polenta et la farine petit à petit jusqu'à ce que la pâte soit assez ferme pour former une boule (il te faudra peut-être un peu plus de farine, ou peut-être un peu moins).

5. Étale la pâte sur une surface propre légèrement farinée. Elle devra faire un peu moins d'un centimètre d'épaisseur. Avec un petit emporte-pièce (pas plus grand qu'un coquetier), découpe de petits biscuits. Tu peux aussi utiliser un couteau pour faire des carrés, des triangles… Refais une boule avec la pâte qui reste et recommence jusqu'à ce que tu n'en aies plus.

6. Dispose tes biscuits sur une plaque de cuisson préalablement beurrée, avec un écart de deux centimètres au moins entre chaque. Mets-les au four 18 à 20 minutes, jusqu'à ce qu'ils aient bien doré.

7. Laisse-les refroidir – si tu arrives à résister !

Sers tes croustilles avec un thé à la menthe ou ta boisson préférée.

Table des chapitres

Emma Kennedy écrit pour la radio et la télévision. Elle aime bien aussi se déguiser et se faire passer pour quelqu'un d'autre à la télé, et parfois, elle gagne même des récompenses pour ça. Son plus haut fait reste quand même d'être entrée au Livre Guinness des records pour avoir organisé le plus grand concert de kazoos de l'histoire.

Il y a deux choses qu'elle rêve de faire avant sa mort :

1. piloter une montgolfière (et pour de vrai, toute seule, pas juste voyager à l'intérieur).

2. avoir des ailes qui lui poussent dans le dos.

C'est tout.

Emma a un beagle absolument fabuleux qui s'appelle Poppy (coquelicot) et qui sait marcher en crabe. Son mot favori est ramalamadingdong.

Ouf ! Que d'émotions, n'est-ce pas ?

Maintenant que l'énigme des cœurs gelés est résolue, Wilma va pouvoir profiter de ses nouveaux amis, de sa famille d'adoption et de son statut d'apprentie du plus grand détective du monde. Et qui sait, peut-être que de nouveaux indices vont la mettre sur la piste des auteurs de l'étiquette à bagage, à moins qu'une nouvelle enquête ne monopolise toute son attention...

Ah tiens, voilà justement qu'une étrange série d'empoisonnements décime la troupe du Théâtre des Vaillantes Variétés !

Quelque chose me dit qu'on en apprendra de belles en lisant le prochain volume des aventures de Wilma Tenderfoot, L'Énigme du poison putride...